...MENTO STAT
... the lo...

D1094413

PQ 7081 C68
3 0600 01291 3951

# EL POSTMODERNISMO

OCTAVIO CORVALÁN

# EL POSTMO

# DERNISMO

LAS AMERICAS PUBLISHING COMPANY

FIRST EDITION, MARCH 7, 1961

OCTAVIO CORVALAN
*of Rutgers University*

# EL POSTMODERNISMO

*La literatura hispanoamericana entre dos guerras mundiales.*


LAS AMERICAS PUBLISHING COMPANY
249 West 13th Street
New York 11, N. Y.

Printed in the United States of America by ARGENTINA PRESS.

Hoy día, los escritores están divididos en tres categorías: aquellos que se dedican a la literatura pura; los que hacen literatura social, y los que practican la literatura que llamaré de investigación interior.

*Pedro Henríquez Ureña*

# PREFACIO

Este trabajo fué elaborado con la vista puesta en las grandes figuras de nuestro siglo. No implica subestimación de los nombres omitidos, ni siquiera intenta cubrir *todos* los importantes. Nació de un curso universitario para el cual había seleccionado los escritores que aquí se discuten, por convenir así a los fines de dicho curso. Posteriormente he añadido nombres imprescindibles pero aun así, siento que muchos de los grandes están ausentes, inmerecidamente. Entre ellos, para no citar sino los que de momento quedan temblando en la pluma, los poetas José María Eguren, Vicente Huidobro, Alberto Hidalgo; los narradores Pedro Prado, Teresa de la Parra, Arturo Cancela, Martín Luis Guzmán y Jorge Luis Borges; los ensayistas Ezequiel Martínez Estrada y Ricardo Rojas.

Además, hay algunos que son excelentes escritores, y, en sus propios países, han llevado a cabo una brillante labor, pero no han alcanzado aún el mercado continental. Este tratado aspira a comentar con cierta detención las vidas y obras de autores reconocidos universalmente ya, agruparlos y ofrecer al estudioso mi contribución de datos y opiniones. Siendo éste uno de los períodos más vastos e intensos de nuestra literatura, falta un estudio que encierre al menos los nombres, títulos y corrientes literarias más importantes.

Como lo aclara el subtítulo, la denominación "postmodernismo" abarca el período cuyos límites históricos son las dos guerras mundiales. Claro está que las primeras manifestaciones de una estética nueva aparecen algunos años antes de 1914 y muchas características de lo que llamamos postmodernismo se prolongan más allá de 1939. Esto no me retrajo, sin embargo, de la tentación de recortar una sección histórica que se me ofrecía delimitada por dos sucesos de semejante magnitud.

En suma, llamo postmodernismo a lo que Federico de Onís separaba en dos momentos consecutivos, "post" y "ultra" modernismo.

En los primeros años aparecen actitudes aisladas, esfuerzos individuales o de pequeños grupos en algunos países. Luego viene el período de las grandes realizaciones en todo el continente y hacia los últimos años, una nueva dispersión, un nuevo descontento, precursor de la crisis total que cubriría el primer lustro de 1940.

Creo necesaria una aclaración más, referente al Río de la Plata. La literatura argentina, aunque paralela casi siempre al resto de América, presenta durante este período una variedad tal de buenos escritores que se me hace imposible reunirlos bajo el mismo techo. No podría ocuparme sin incurrir en injustas mutilaciones, de Leopoldo Lugones y Roberto Payró, por ejemplo. Es difícil ubicar en un solo casillero a Borges y Larreta, a Fernández Moreno y Vicente Barbieri. La Argentina está dando más escritores que ningún otro país, con la probable excepción de México, y el hecho de comentar sólo tres no parece justo. Pero la ausencia de autores argentinos obedece precisamente a la abrumadora tarea que significa estudiarlos individualmente. Preferimos por eso, repetir los nombres significativos y recordar al lector hispanoamericano que entre los autores más leídos en América están Hugo Wast, Manuel Gálvez y Benito Lynch, todos pertenecientes a este particular momento, y que no se han mencionado en este trabajo.

Por lo que respecta a las coincidencias de las letras argentinas y las demás literaturas de Hispanoamérica, hubo también un período prepatorio, un paréntesis de experimentación antes de que aparecieran los frutos ya maduros del postmodernismo. El *Lunario sentimental* de Lugones marca, sin el explícito ademán de González Martínez, la ruptura con el rubenismo. Ya campea la sonrisa descreída que iba a ser más tarde una de las notas características de la generación de postguerra. Las metáforas que la luna provoca —"con gorda majestad de ganzo / se puso a tiro de escopeta"— serían módulo para los antipoetas del ultraísmo.

Otro precursor, en el terreno de la poesía, aunque forma parte destacada del postmodernismo como novelista, es Ricardo Güiraldes, cuyo poemario *El cencerro de cristal* (1915) anticipa el culto por la metáfora.

Pero la nueva generación, después de estos ensayos, estaba lista para 1922. Desde este año en adelante, se abre fuego al modernismo con las armas nuevas que habían traído de Europa, entre otros, Jorge Luis Borges. Los manifiestos de guerra al modernismo van apuntados casi siempre, a Leopoldo Lugones. Es curioso que los críticos y poetas del momento, es decir, los que anunciaban la nueva estética, terminaran apedreando la figura de Lugones. Eduardo González Lanuza, historiando a su generación, escribió años después: "Como en aquella época no existía más alta figura que la de don Leopoldo Lugones, contra él enderezamos nuestros ímpetus juveniles". (La cita es de Juan Pinto en su *Breviario de literatura argentina contemporánea*).

La verdad es que alrededor de 1922 se publican en toda América los libros más importantes de la nueva poesía. El temprano César Vallejo, del Perú, publica su *Trilce* en 1922 y *Desolación,* de Gabriela Mistral, también aparece en aquel año. Le siguen *Fervor de Buenos Aires* de Borges, en 1923 y *Veinte poemas de amor y una canción desesperada* del chileno Neruda, en 1924.

La novela de estética postmodernista se anticipó, en cierto modo, a la poesía. Era una pintura realista pero vertebrada de ideas universales, *Los de abajo* de Mariano Azuela, en 1916. Le siguió *La raza de bronce* de Alcides Arguedas, boliviano, en 1919. Un año más tarde aparece una novela fantástica en Chile, *Alsino* (1920) de Pedro Prado, seguida poco después por una novela psicológica de gran belleza, *El hermano asno* (1922), de Eduardo Barrios, también chileno.

Así hemos llegado a la madurez de la novela hispanoamericana. Los frutos posteriores de este género van a universalizarla, con justa razón. Antes de 1930 aparecen *La vorágine,* de José Eustasio Rivera, en 1924; *Don Segundo Sombra* de Güiraldes, en 1926; *El águila y la serpiente* de Martín Luis Guzmán en 1928 y *Doña Bárbara* de Rómulo Gallegos, en 1929.

Entre 1930 y 1940 surgen otros grandes libros y nuevos autores, los más jóvenes de este período postmodernista, entre los que he incluído a Ciro Alegría, Arturo Uslar Pietri y Eduardo Mallea.

O. C.

Milltown, New Jersey, 1960.

# I

# INTRODUCCION

Los escritores modernistas se oscurecieron hacia los años de la Primera Guerra Mundial. Los maestros del movimiento van desapareciendo y sus críticos, o han muerto para esta época, o se apartan atraídos por nuevos caminos.

Los jóvenes que se habían educado en esta corriente esteticista aceptaron sin protestas los ideales del modernismo: función aristocrática de la poesía, cultivo del estilo personal, simbolismo. Algunos siguen cultivando su arte con serenidad y mesura: Gabriela Mistral y Fernández Moreno no se preocupan mayormente por las escuelas. Otros imprimen un violento giro a su poesía, y se alejan súbitamente de la generación precedente: Vicente Huidobro, César Vallejo.

El modernismo ha penetrado más que el romanticismo en América. Ha creado una conciencia, un gusto, y ha impuesto ciertas ideas de tal brillo que rigen hasta hoy la vida intelectual americana. El balance de aquella poderosa generación se está haciendo ahora y sólo ahora estamos en condiciones de advertir lo que hubo de falaz o equivocado en los hombres de 1900. (*)

Pero la poesía vislumbra mucho antes que la filosofía los contrastes históricos que traen aparejados ciertos cambios. Así vemos que los primores formales del modernismo comenzaron a empalagar a los mismos modernistas. Hay

(*) Ver Luis A. Sánchez: ¿Tuvimos maestros en nuestra América?

alrededor de la última cena de Darío, poetas de visión que rechazaron lo que el maestro tiene de superficial, lo lujoso, lo ornamental. Rechazan hasta los símbolos de la frivolidad. El cisne había sido el ave heráldica de Darío. González Martínez lo encuentra vacuo porque sólo muestra la belleza física y su vanidad. Para el poeta mexicano vale más el buho. Su fealdad y su silencio representan mejor la belleza del alma y la serena contemplación del mundo exterior. No hay en el buho ni sombras de narcisismo. Sus ojos, siempre abiertos, hablan de la vigilia de la inteligencia y recuerda que fué el ave de Pallas Athenea. Se propone, como programa de creación poética, la contemplación, la sinceridad; labor creativa y no mera poetización de elementos vacíos.

La generación modernista había podido cultivar con más o menos tranquilidad su *literatura pura.* Ya los países estaban organizados, aunque deficientemente, bajo instituciones democráticas y no se le exigía al intelectual que asumiera funciones rectoras en política. La "torre de marfil" de los simbolistas franceses se convirtió en baluarte de los poetas americanos. Pero, con los albores del siglo XX y sobre todo con las convulsiones de la guerra, entran a discutirse los grandes problemas americanos que habían quedado en el tintero de los estadistas finiseculares: el ser americano con su antinomia irreductible, indigenismo y europeísmo; la educación popular, el negro, el paisaje, la explotación capitalista, etc.

Simultáneamente se dan sucesos, ideas y libros que perfilan una nueva época. En 1909 Ricardo Rojas predica un nuevo patriotismo cuyo objetivo habría de ser el desenvolvimiento espiritual. Luego de aquel primer libro doctrinario, *La restauración nacionalista,* vienen otras obras: *Eurindia* y *Ollantay* con tema y preocupación estética puramente americanos, aunque trabados íntimamente a la tradición hispánica, tan despreciada por muchos modernistas.

En 1910 ocurre la Revolución Mexicana que trae grandes cambios; quizá la única que merezca llamarse revolución en América después de la emancipación. Esta revolución fué precedida por un intenso movimiento intelectual promovido desde el Ateneo de la Juventud (1909-1914), grupo fundador de la Universidad Popular de México. Aquellos hombres combatieron el positivismo en filosofía; se interesaron por las artes indígenas precolombinas y vulgarizaron el pensamiento griego, coincidiendo en estos aspectos con el pensador argentino. Esta prédica tuvo como saldo toda una escuela en plástica que más tarde daría los frutos inmejorables de Rivera y Orozco.

Las derivaciones sociales y políticas fueron igualmente grandes: el indio y el campesino tomaron conciencia de su propio valer. La antigua aristocracia se arruinó o quedó relegada. Una concepción "populista" rige en adelante las obras de gobierno, el teatro y la novela mexicanos.

En 1918 la Reforma Universitaria agita el país entero en la Argentina. Entre los puntos principales de su programa, la Reforma exigía renovación en la educación superior y una conexión efectiva entre universidad y pueblo.

En Perú, los jóvenes intelectuales que vivían en permanente alerta hacia los movimientos juveniles del continente, imitando a los argentinos, lanzaron también los ideales de la Reforma Universitaria en 1919, a la que siguió luego el surgimiento de un partido político de hondas raíces peruanas pero de pretensiones continentales: el A.P.R.A. (Alianza Popular Revolucionaria Americana), fundado y dirigido hasta hoy por Raúl Haya de la Torre.

El período que llamamos "postmodernismo" presenta, pues, complejidades que hacen difícil desentrañar los hilos perseguidos. Sin embargo, a pesar de la heterogeneidad en los temas, estilos y géneros que se dan en la literatura de este período, hay rasgos que le confieren un sello característico. Es posible trazar algunas coordenadas siguiendo esas notas comunes. Para ello, preciso será volver atrás unas cuantas décadas y ubicar históricamente a los escritores postmodernistas como los herederos del modernismo.

En efecto, sólo la literatura posterior a la Segunda Guerra Mundial, y no toda, puede considerar saldadas sus deudas con la generación de Darío.

## PANORAMA CULTURAL DE AMERICA AL COMENZAR EL SIGLO XX

José Santos Chocano había puesto su atención en América como escenario y como drama. *Alma América* (1910) empieza a discutir los problemas capitales de nuestra cultura. En todas partes se hacen las mismas preguntas; se busca ávidamente el "ser" americano, sus esencias, su destino. Se inquiere al pasado histórico; la conquista, el traspaso de la cultura europea a través de España; el sometimiento de los indígenas a esta cultura. Se interesa el hombre por las lenguas autóctonas de América.

Las respuestas no son optimistas. Se ha perdido lo indígena y no hemos alcanzado a europeizarnos del todo. Esta angustia de no saber qué somos y qué debemos hacer es la base del americanismo que irrumpe con extraordinario vigor en la temática de nuestra literatura hacia comienzos de siglo. La enorme expansión económica de los Estados Unidos, la política prepotente de Teodoro Roosevelt, crea por otra parte, un sentimiento de desconfianza hacia Norte América. José Enrique Rodó sistematizó ese sentimiento ya en 1900 (*Ariel*) que muy pronto se canaliza como retorno a lo hispánico —o mejor, hacia lo latino— y como refirmación de una cultura espiritual frente al pragmatismo norteamericano.

Se incluye en estas reflexiones al indio y al negro. Hay preocupación sociológica. El paisaje ya no es simplemente bello ni la vida ofrece sólo color local. Entre la paradisíaca hermosura de los bosques americanos, los poetas descubren al indio que padece en los yerbales, en los cauchales, en las minas, en los obrajes.

La literatura, atenta a estos problemas, no se encauza solamente en el verso sino que busca la ancha vía del ensayo. Hubo por estos años algunos libros que marcaron rumbos al pensamiento americano. *La restauración nacionalista* de Ricardo Rojas, ya citada, por ejemplo. Rojas replantea con acierto y oportunidad los conceptos de patria y patriotismo. El patriotismo consistía, para los argentinos, en honrar a los próceres, celebrar las hazañas guerreras de nuestros mayores en sus luchas contra España y en venerar los símbolos de la patria. Pero faltaba el patriotismo concreto, ligado a un conocimiento de la patria real. Rojas se propone restaurar el patriotismo por medio de la cultura y la educación; en especial, por la enseñanza de la historia. Admirador de España, quiere borrar los prejuicios que el argentino tiene hacia todo lo español.

Su libro tuvo resonancia continental; fué uno de los más leídos y comentados de América. Luego apareció *Eurindia* (1924) en el que Rojas va más allá, tratando de conciliar lo indígena y lo europeo. Debemos aceptar nuestro ser actual tal como es, con su origen indoeuropeo. Nuestro ser es una síntesis, no un añadido, de dos seres.

A través de otros libros Ricardo Rojas trata de buscar la veta americana auténtica para incorporarla a sus obras de creación. Así por ejemplo, toma el mito de Ollantay y el de la Salamanca, porque en estos temas es donde aparecen mejor ensamblados los elementos americanos y europeos de nuestra cultura.

En 1910 ocurre la Revolución Mexicana, otro hecho de consecuencias trascendentales para nuestro continente. Esta Revolución causó grandes cambios en México; convulsionó la estructura social y económica. Fué precedida, o anunciada, por un movimiento intelectual, como siempre ocurre. El movimiento mexicano fué promovido por el grupo denominado *Ateneo de la Juventud*. El grupo venía trabajando desde 1907 como *Sociedad de Conferencias* y tenía por objeto la divulgación de los tópicos más importantes de la cultura. Se trataba de llegar a las masas e interesarlas en una tarea de culturalización. Se preocupan por el arte azteca y por la arquitectura de la colonia.

Las derivaciones sociales y políticas de la Revolución mexicana fueron igualmente grandes. Por varios años el pueblo mexicano estuvo en guerra. Hubo desplazamientos de aldeas enteras. El indio pasó a primer plano social porque era el combatiente. Indios y mestizos llegan a la historia. Dieron leyes, confiscaron bienes, controlaron el transporte. La clase pudiente sufrió mucho y en algunos casos tuvo que emigrar, mientras los proletarios se enriquecían rápidamente en los saqueos y en las dádivas de los jefes. El indio adquirió conciencia de su peso frente a la sociedad. Los que gobiernan, después de la Revolución, son hombres salidos de las filas del pueblo y se dan una legislación revolucionaria.

Otro movimiento de resonancia continental, como ya lo dijimos, fué la Reforma Universitaria, que surgió en la Argentina, en 1918. Uno de los primeros ecos de este movimiento es la Reforma Universitaria peruana. Un grupo de jóvenes que trabajan activamente, fundan revistas, dictan conferencias. Adoptan de inmediato los principios de la Reforma argentina y los llevan a la práctica en 1919.

El mismo grupo fundó el partido APRA al lado de Haya de la Torre y una serie de Universidades Populares en las ciudades de mayor importancia, a las que pusieron el nombre de *González Prada* en homenaje al luchador y maestro de esa generación.

Para entonces ya habían nacido los partidos socialistas en casi todos los países hispanoamericanos y este partido, al lado de su programa político, realizaba un vasto programa cultural. Sus miembros crearon Universidades populares en todos los centros urbanos de alguna magnitud, fundaron bibliotecas, ateneos y utilizaron la conferencia como medio directo de ilustrar a las clases populares sobre los temas universales en política, economía, justicia social, gremialismo, etc.

Esta es la tónica cultural de América Latina hacia el fin de la Primera Guerra Mundial. Hay, en general, una fuerte tendencia socializante, una juventud intelectual activa, que promueve cambios en la política, en la enseñanza y hasta en el arte.

Veamos ahora, en forma igualmente fugaz, el panorama literario.

En primer lugar, estos jóvenes se han educado literariamente leyendo a los maestros modernistas. No trataron de imponer una estética propia. Las aspiraciones estaban cumplidas por la generación anterior. No hubo, por lo tanto, batalla literaria al principio. Además, son tantas y de tal magnitud las figuras del modernismo que los jóvenes prefirieron seguirlas. No mostraron mayores deseos de renovación literaria, como ocurrió en política, y los nuevos poetas parecen continuadores, más que imitadores, de los modernistas.

Sus ideales son los mismos: cierta aristocracia en la forma, sugerir en vez de precisar, búsqueda del estilo personal antes que ser una voz perdida en el coro.

Una de estas figuras que no entraron en combate, sino que continuó en cierto modo los ideales modernistas fué Gabriela Mistral. No tuvo preocupaciones de escuela pero cultivó uno de los estilos más originales de América.

En la novela, los escritores sostienen que es necesario un estilo, aun en la prosa: Rómulo Gallegos, Eustasio Rivera, Ricardo Güiraldes, Eduardo Barrios. Esta es una de las manifestaciones típicas del postmodernismo.

Otra tendencia interesante que se desarrolla en este período es la preocupación por los problemas americanos. Ya se había dado antes esta preocupación, pero los hombres de esta generación no divagan, ni poetizan las realidades del continente, sino que las estudian profundamente.

Surgen excelentes filólogos, buenos filósofos, sagaces historiadores. Cuando escriben, lo hacen con pureza, con estilo limpio. Por lo general, son ensayistas, pero sus ensayos son de gran belleza. La constelación de ensayistas del postmodernismo tiene estrellas muy brillantes: Alfonso Reyes, Ricardo Rojas, José Vasconcelos...

Finalmente están los jóvenes que no se sintieron atados al modernismo. Son los jóvenes de postguerra, herederos de un estado espiritual de descreimiento. Experimentan —o imitan— el sentimiento nihilista de Europa.

Para ellos el mundo se ha desquiciado, es absurdo, y el arte que exprese tal mundo debe ser también incoherente, atormentado. Una de las primeras manifestaciones de esta actitud es el llamado "ultraísmo" (simultáneo en realidad del "creacionismo", "dadá", "cubismo", etc.).

El "ultraísmo" aparece en España; sus corifeos quieren llegar más allá de la realidad. Naufraga al poco tiempo por lo desmesurado. Le sigue un movimiento americano: el "creacionismo", palabra acuñada por Vicente Huidobro, chileno, que vivió en París y escribió tanto en francés como en español. Huidobro propone la creación de un nuevo mundo, el mundo del *ser,* sin relación con el mundo real. El poeta es un creador, da las leyes y el orden que ha de regir en el mundo de sus creaciones.

Volveremos más adelante sobre este punto. Por ahora sólo se busca pintar, con gruesos trazos, las líneas más salientes de este período literario, para luego insertar, en el esquema, los detalles.

## LA HERENCIA DEL MODERNISMO

El modernismo es un movimiento literario que se origina en América y tiene repercusiones en Europa. Nació como reacción contra el prosaísmo de la novela costumbrista, ensayada con mucho entusiasmo en nuestro continente hacia mediados del siglo XIX, y contra la efusión lírica del romanticismo. Los modernistas se plantean un problema estético y una vez lograda la obra, la contemplan con ojo crítico, no como los románticos que trataban de expresar rápidamente sus contenidos sentimentales sin demorarse gran cosa en la forma.

Aunque no hay coherencia suficiente para generalizar, hay en los escritores modernistas algunas notas comunes. Estas notas nos permiten captar, en cierto modo, los rasgos del movimiento, y al mismo tiempo, distinguir lo que *ya no es* modernismo. Por ejemplo, los poetas modernistas suelen coincidir en: a) un anhelo de perfección formal y, b) un desencanto del estado social, político y económico de nuestros países. El desencanto da como resultado una evasión de la realidad en busca de escenarios exóticos en los cuales ubicarse idealmente. De ahí que para Rubén Darío, el lugar donde viven sus sueños sea un país desaparecido, o que quizás no existió nunca. Sus princesitas rubias, sus duquesas y abates viven en majestuosos palacios adornados de estatuas, tallas, mármoles, espejos y cuadros.

Algunos huyen más lejos, pero no en el tiempo, sino en el espacio. Julián del Casal, cubano, es un admirador de los modos de vida orientales. Lo mismo Nervo, mexicano, que estudia con mucho interés las filosofías y religiones de la India. Esta evasión es común a casi todos, pero al final se plantean problemas americanos, casi todos también. Regresan a su tierra, a su tiempo, a la realidad.

En síntesis: los modernistas son aristocráticos en su poesía porque desdeñan lo vulgar —lo cotidiano—. Es la suya una poesía bien tallada, rica, que refleja ambientes lujosos. Adoptaron de Verlaine la predilección por los símbolos y de los parnasianos el ansia de perfección formal.

Las grandes figuras de este movimiento son: primero y ante todo, Rubén Darío, eje en torno al cual giran los astros menores. Con su afán viajero fué el que enebró los distintos movimientos aislados y consiguió darles apariencia de unidad. Nacido en Nicaragua, visitó Chile y allí tuvo el primer contacto con una ciudad de corte europeo. Fué un deslumbramiento. Más tarde, Buenos Aires lo impresionó por su pujanza. Visitó también otros países americanos y España y Francia en Europa. Pero sus dos primeros libros de valor fueron escritos antes de conocer París, la ciudad con que soñaba.

Le siguen en importancia Amado Nervo, mexicano, y el gran crítico del movimiento, el que lo descubrió: José Enrique Rodó, uruguayo. Como teórico, Ricardo Jaimes Freyre, boliviano, maestro de varias generaciones en la estética modernista. Luego habría que nombrar los poetas directamente influídos por Darío: Leopoldo Lugones, argentino —el poeta más grande de su generación— y Julio Herrera y Reissig, uruguayo.

Desentona un poco con estos nombres, pero pertenece también al movimiento modernista, el peruano José Santos Chocano. Sus afanes fueron sociales, americanos; su poesía fuertemente nacionalista.

Esta generación va a concluir hacia los primeros años de la Guerra Mundial. Los maestros habían agotado sus posibilidades literarias; escribían ya desde 1885. Para 1914 habían dado ya lo mejor de sí. Además, sobrevienen por estos años una serie de acontecimientos que cambian la faz del mundo y hacen olvidar rápidamente a los modernistas. Los principales animadores del movimiento desaparecen también en un plazo muy breve: Darío muere en 1916, Rodó en 1917, Nervo en 1919.

La generación modernista ha llegado a su ocaso con naturalidad, no por una corriente nueva que la enfrentara o la venciera. Por el contrario, sus teorías poéticas serán continuadas, aprovechadas, por casi todos los hombres de letras posteriores.

## DIRECCIONES DEL POSTMODERNISMO

En realidad estamos siguiendo dos categorías que por momentos se entrecruzan, creando una especie de contrapunto no muy aconsejable en un tratado de pretensiones didácticas. Por un lado, hablamos de géneros y por otro de estilos. De modo que al discutir las notas comunes del postmodernismo nos encontraremos con ciertos temas, o actitudes estéticas que lo mismo se manifiestan en la novela que en el ensayo o en la poesía. Por eso no agrupamos los escritores de acuerdo a los criterios corrientes, sino de acuerdo a las exigencias expositivas de este trabajo. Se pretende mostrar la congruencia, la unidad histórica de este momento de nuestras letras, posiblemente el más fecundo de la historia literaria hispanoamericana.

Hecha esta salvedad, veamos las coincidencias que ligan a los escritores de esta generación, a pesar de la aparente lejanía que los separa.

1) Un rechazo de las exquisiteces formales del modernismo, en cuanto son puramente *formales*. Hay poetas que se resisten a la superficialidad de Darío. (No está probado que Darío fuese frívolo; en todo caso, lo fué hasta *Prosas profanas,* pero no después).

Además, muchos de estos poetas nuevos no atacan directamente a Darío, sino a lo lujoso, a los signos de la frivolidad. El cisne fué el ave heráldica de Darío. En los ambientes exquisitos que creó, se concebían lagos transparentes donde bogaban cisnes inmaculados a los que una Mme. Pompadour tendía las manos en desmayada caricia.

A los nuevos poetas, más preocupados por el pueblo, más concretos, el cisne les parece vacío y ocioso como símbolo y más aún, ajeno a nuestra realidad. Ven en el cisne sólo vanidad. Ellos buscan profundidad; el poeta debe tomar plena conciencia de su realidad y asumir sus responsabilidades.

2) El segundo rasgo común es una *desesperanza,* un desfallecimiento, una decepción frente al mundo. Los hombres de estado han hecho tan complejo el mundo que los poetas pierden la esperanza de poder reformarlo. En última instancia, no se cree en el poder redentor del arte y esto quizá sea una de las causas de que surjan tantos ensayistas en este período; muchos más que poetas o novelistas.

También puede explicar la relativa falta de poetas el hecho de que esta generación se burló un poco del arte. Así no se sabe si tomar en serio o en broma a Vicente Huidobro.

3) Otra nota común entre los poetas, aunque no muy frecuente entre los prosistas, es la *expresión de lo irracional.* La incoherencia es la esencia de la poesía, porque la frase, el verso, la imagen incoherentes, surgen de una parte oscura de nuestra mente y los postmodernistas creen que lo inconsciente es lo más puro de nuestro ser y que de allí sale lo más sincero, lo más auténtico.

Hay otra razón; el hecho de que nuestro intelecto presenta las cosas tergiversadas en su afán clarificador de los fenómenos. El poeta que se expresa en un idioma lógico, está aplicando a la realidad categorías del pensamiento. Lo importante es que el mundo interior del poeta surja virginal y puro, sin las rectificaciones de la razón.

4) Es casi una consecuencia del anterior: *la tendencia disgregadora,* atomizante. Se cultiva el pequeño relámpago poético, las brevísimas visiones del mundo, que se iluminan por estas imágenes sueltas y se oscurecen luego. No creen los poetas que deban comprometerse en una obra de largo aliento, sino dejar que la poesía vaya soltando pequeños destellos para volver a hacerse oscura, incomprensible.

Proliferan en este período los "ismos": expresionismo, cubismo, vanguardismo, creacionismo, superrealismo... Algunos mueren a poco de nacer, por falta de eco. Lo menos que puede pedir un lector al autor, es un lenguaje en común. Algunos de estos movimientos logran densidad y sentido suficientes para perdurar.

Rastreando los orígenes de estas tendencias hacia lo incoherente, nos encontramos con que el Conde de Lautreamont, Isidor Ducasse, publicó *Les chants de Maldoror* en 1868. Este poemario sería en rigor el primero donde se busca poetizar lo inconsciente.

De modo que esta literatura de vanguardia que aparece hacia 1918 o 1920, tiene su historia. Los precursores en América son los poetas con los que termina el modernismo, como Lugones, Herrera y Reissig, Vicente Huidobro y Carlos Sabat Ercasty. Los poetas posteriores al 20 abjuran del símbolo, aunque conservan a veces el símbolo en sí, sin su valor contextual. Para expresar lo caótico del subconsciente se echa mano con abuso del verso libre cuya dimensión, agrupación estrófica y rima no se mantienen.

Estos poetas no acatan ni la mínima exigencia del ritmo. Tratan de afirmar una preceptiva que se adhiera mejor al movimiento subliminar de la conciencia. No hay grandes poemas; en cambio florece la miniatura poética. Cuando nace una metáfora feliz, vale por sí sola y no hay que buscarle relación con otras.

Uno de los primeros en practicar esta poesía fragmentaria en lengua española fué Ramón Gómez de la Serna, creador de las "greguerías", pequeñas imágenes de la realidad que podrían ser comparadas a las "doloras" de Campoamor o a los "grafitos" de González Prada.

Al mismo tiempo que disminuye el afán de lograr belleza artística crece el deseo de descubrir las profundidades del alma. Hay sumo interés en la auto-observación. Esta visión despedazada del mundo, este no tomar en serio el arte, este reírse de la poesía tradicional (Leopoldo Lugones: *Lunario sentimental*) es lo que Ortega y Gasset ha llamado la "deshumanización del arte". Hay despreocupación, incredulidad en los contenidos y en la misión del arte. Surgen los gestos exagerados, con mucho de clownesco. En efecto, payasos y arlequines han concitado la atención de músicos y pintores de este período también: Strawinski, Picasso.

Para completar: los poetas surgidos después de 1920 ya no están ligados a la generación modernista en forma directa. Estos hombres y mujeres que han producido entre las dos guerras mundiales tienen el sello de una patética desolación y un quebranto moral. Angustia, soledad, son sus notas más frecuentes porque el mundo que se les ofrece no tiene salida posible. En Sud América el caso se agrava porque los sistemas filosóficos y políticos se vuelven totalitarios. Después de la guerra parece haber llegado efectivamente "la hora de la espada". El único camino aparente para la restauración europea, para la vuelta al orden, para terminar la anarquía, es el de los gobiernos despóticos.

Los países americanos bien pronto repiten la lección de Italia y Alemania: golpes de estado sucesivos asfixian todo movimiento cultural. Uno tras otro van entrando en el "nuevo orden"; la expresión de las ideas se hace cada vez más difícil; los literatos americanos reinician la peregrinación del exilio. La existencia tiene cada vez menos probabilidades de racionalizarse. Por eso es el superrealismo la única escuela literaria que adquiere cierta consistencia. Se vuelven a plantear problemas estéticos, filosóficos, religiosos. Los jóvenes poetas que han visto esos valores avasallados reaccionan ahora en su defensa. Así, poco a poco, el superrealismo se convierte en existencialismo.

El superrealismo es el movimiento poético y plástico más representativo del período comprendido entre las dos guerras mundiales. Es una estética de lo irracional; hay un rechazo de la inteligencia. El arte no puede basarse en la lógica. Si el mundo presente —con toda su destrucción y su caos— es producto de la razón, y si el arte ha de ser algo más puro, algo que valga la pena preservar, debe eludir sistemáticamente a la razón. De ahí que los poetas se lancen a explorar las tinieblas del subconsciente.

## ENRIQUE GONZALEZ MARTINEZ ABRE LA MARCHA

Enrique González Martínez nació en México el 17 de mayo de 1871. Tiene el mérito —aparte del valor intrínseco de su poesía— de haber dado el primer grito de rebeldía frente al modernismo suntuoso y superficial, aunque él mismo perteneció a la generación de Darío, Lugones y Nervo. Pero al llegar el año 1910 se convierte en maestro de los poetas jóvenes descontentos con los modernistas. El no tuvo la intención de ser guía, pero hubo muchos que lo siguieron. La juventud reparó instantáneamente en este poeta ya maduro que respondía a sus ideales.

En 1911 apareció su libro *Los senderos ocultos* y allí un soneto: "Tuércele el cuello al cisne de engañoso plumaje". Los jóvenes creyeron ver en este poema un acto de rebeldía frente a Darío. Terminaba el reinado de lo artificioso y vano; llegaba el momento de contemplar las realidades profundas del hombre. Así, aunque él no se hubiera propuesto abrir escuela o destruir al modernismo, este poema tuvo esa doble virtud. González Martínez siempre fué un poeta sereno y sobrio. El soneto apareció de nuevo en 1915, esta vez encabezando otro libro de poemas, cuyo título es ya más significativo; *La muerte del cisne*.

González Martínez era un admirador de los simbolistas franceses, de modo que al retorcerle el cuello al cisne no abjura del símbolo; lo que propone es suplantarlo por otro, por el buho. El buho es la introspección, el silencio, el misterio. Además, no es menos prestigioso que el cisne; su origen es tan noble como el de aquél: un buho era el ave de Minerva, la sabiduría: "Mira el buho sapiente... El no tiene la gracia del cisne, mas su inquieta / pupila, que se clava en la sombra, interpreta / el misterioso libro del silencio nocturno".

Luego, la exhortación al poeta joven; huye de todas las formas que no vayan acordes con la vida.

Ya no hay lujos verbales. Su expresión es simple, y hasta provinciana, pero de gran profundidad. Cuando llegó por primera vez a la capital de México, era ya un hombre formado, con cuatro libros editados. Quizá el haber sido médico y maestro haya contribuído, en alguna medida, a dar sencillez, orden y claridad a su poesía.

Desde los primeros libros se advierte en él una decidida actitud. Se propone, y propone a los demás, la contemplación serena de la naturaleza, sinceridad en la creación poética y elaborar símbolos extraídos de esa contemplación y esa sinceridad.

La creación poética debe ser creación de signos, pero profundos, nobles, no superficiales. Leyó a Verlaine y a Baudelaire; entre los mexicanos, admiraba a Gutiérrez Nájera (1859-1895) otro moderno con la mirada en las lejanías, y colaboró con él en revistas, ateneos y cenáculos. Pero no estaba en él seguir esas sendas laterales de la poesía. Empezó a alejarse poco a poco, mientras maduraba su propia visión del mundo, hasta alcanzar una verdadera emancipación con respecto a sus modelos. Además, su actitud estética era firme; su poesía responde a esa concepción del arte.

Lo primero que abandona es "el arte por el arte" de los simbolistas, que lo tomaron a su vez de los esteticistas ingleses. Según éstos, el arte no debe ser más que una expresión de belleza sin otro objeto; no debe servir para nada; la belleza vale por sí misma.

González Martínez presenta una poesía montada en dos valores: verdad y belleza. A veces también bondad. Otra cosa nueva es el anhelo de penetrar "el alma de las cosas" y descubrir los misterios de la existencia humana. Esta actitud lo lleva a una suerte de panteísmo después de *Los senderos ocultos*. Las otras ideas fundamentales: sumergirse en la naturaleza y montar el arte sobre el eje verdad-belleza, se afianzan en su poesía cada vez más. Así lo vemos en sus obras: *Preludios* (1903); *Lirismos* (1907); *Siléнter* (1909); *Los senderos ocultos* (1911); *La muerte del cisne* (1915); *La hora inútil* (1916); *El libro de la bondad y del ensueño* (1917); *Parábolas y otros poemas* (1919); *La palabra del viento* (1921); *El romero alucinado* (1923); *Las señales furtivas* (1925); *Poemas truncos* (1925); *Ausencia y canto* (1937); *El diluvio de fuego* (1938); *Vilano al viento* (1938); *Segundo despertar* (1945);

*La apacible locura* (1951) y un libro publicado póstumamente, *El nuevo Narciso* (1952).

Henríquez Ureña dice que la poesía de González Martínez es la última transformación del romanticismo. Es que hay en ella un vigoroso individualismo, rasgo éste muy romántico. Pero su individualismo encubre las peripecias personales del poeta; sólo nos da el zumo poético, una vez suprimidas las experiencias, nunca las experiencias mismas. Nadie sabe qué vicisitudes o qué anécdotas pasó antes de llegar a México, y sin embargo se ve que venía con un caudal riquísimo de experiencias. Hay en sus cuatro primeros libros elementos de una autobiografía lírica, pero hecha con símbolos, no con datos personales.

El árbol y el río son buenos ejemplos para seguir. El árbol fijo en el paisaje que lo conoce; hay en él una quietud, pero vibrante; hay una calma, pero sonora.

El poeta debe ser como el árbol que se afianza en su ámbito y lo trasciende. Hay un llanto, un canto, un arrullo en el árbol, como en el poeta, pero sutil, no plañidero. El poeta debe ser —igual que el árbol— firme y sereno. Arraigado a la tierra pero anhelando el infinito. Tal vez contemplando la impasibilidad del árbol haya aprendido a ahogar sus angustias, ya que parece haberlas tenido en su vida provinciana. Encuentra goce en la pura contemplación de las cosas bellas que le hacen olvidar los propios dolores. Pero para ello quiere acallar el tumulto del alma. Se necesita tener "un ocio atento". Su poesía es un constante ascenso hacia el equilibrio espiritual que busca. No hay que expresar el dolor: hay que exprimirlo, decantarlo, hasta que surja el símbolo, y el símbolo debe ser profundo. A medida que va entrando en estas ideas, la sabiduría de los años también añade paz a su espíritu. Este anhelo de compenetración con la naturaleza, de entregarse a las cosas para que las cosas le ofrezcan su alma, llega a ser un afán de confundirse con las cosas, de incluírse en el todo; el panteísmo.

Cuando llega a esto la poesía y su misma individualidad pierden su sentido. Poesía y poeta son una misma cosa. El poeta no tiene que brillar por sus ideas, ya que al cabo de los años, todos los poetas cantan, con el mismo estilo, el mismo canto.

Dice estas cosas en un poema de 1915, "Mañana los poetas". En otro poema "Alma trémula", hay una concepción del alma. Allí trata de despojar al alma de todas las artificialidades de la cultura; quiere volverla a su pureza primitiva.

A pesar de que en 1915 estaba lejos todavía su ocaso, hay un poema "El forastero", en el cual el forastero es el otoño de su vida, pero su visita no lo turba; hay una visión serena, mirada profunda y rostro tranquilo.

González Martínez, el poeta que explícitamente inaugura un nuevo momento en nuestra historia literaria, murió en México, el año 1952.

# II

# LAS MUJERES EN LA POESIA

En todo poeta hay necesariamente una concepción personal de mundo. Esta concepción también se da en los novelistas. En la creación de personajes, en las ideas que se discuten, puede el novelista ofrecernos diversas facetas de su espíritu. Lo que los personajes dicen, reflejan, de algún modo, las actitudes del autor ante la vida y el mundo. En el poeta lírico, esta visión se manifiesta casi siempre por medio de símbolos. La visión está más o menos velada de acuerdo a su actitud particular ante el idioma. Al mismo tiempo, su manejo de la lengua nos revela indirectamente la ubicación del poeta en la comunidad. Aunque el canto lírico, esto es, íntimo, no es más que vivencias, las vivencias son resonancias que produce el cosmos; de modo que en el canto se refleja la visión poética del artista. El poeta expresa sus alegrías y pesares individuales, es verdad, pero alegrías y tristezas son respuestas al mundo exterior; son indicio del modo en que el mundo exterior incide en el espíritu del poeta.

Ahora bien, cuando se trata de un gran poeta, su canto no es sólo expresión de vivencias y experiencias individuales sino que además hay una concepción de tipo filosófico; a veces una verdadera interpretación metafísica del mundo. Siente el poeta un deseo de ordenar racionalmente la realidad. La poesía trasciende entonces la esfera de lo sentimental, de lo íntimo, y se convierte en grandes preguntas ante el destino del hombre. Estas preguntas ya implican una actitud metafísica.

Gabriela Mistral es una poetisa de esa estatura. Hay en ella una hondura filosófica semioculta en la aparente inocencia de sus versos. Su vida, el destino, la divinidad, el hombre, los sentimientos, la muerte, están siempre planteados en su obra, transcriptos al lenguaje poético, pero no por ello menos profundamente.

Perteneció a una generación de mujeres poetas que nos ha dejado muchos nombres importantes para la historia literaria de América: Juana de Ibarbourou, uruguaya; Alfonsina Storni, argentina, y Gilka Machado, brasileña. En Uruguay nacieron también, Delmira Agustini y María Eugenia Vaz Ferreyra.

Esta generación contrasta con la modernista en la que casi no aparecen mujeres. Podría explicarse esta ausencia por el rigor formal que el movimiento tenía; exigencias de conocimiento y manejo de las técnicas literarias. Pero es más probable que las razones vayan implícitas en el desarrollo histórico de nuestros países. Efectivamente, la aparición de mujeres escritoras ocurre súbitamente por los años de la Primera Guerra Mundial. Coincide también con las tendencias feministas de postguerra. Hacia el año 1920 hay una verdadera revolución en la vida de la mujer occidental. De pronto, la mujer adoptó un peinado muy corto —*a la garçon*—; sus vestidos se vuelven más prácticos, con faldas a la rodilla; se la ve fumar en público, sentarse sola en las confiterías. Va ganando algunos derechos que antes parecían exclusivos del hombre; empieza a ocupar puestos en las oficinas públicas y en el comercio. Finalmente la vemos incorporarse también a la literatura y a las artes.

Las poetisas que vamos a estudiar, salvo Alfonsina Storni, no traen actitudes de rebeldía, menos aun de feministas. Adoptan posiciones temerarias frente al orden establecido. Expresan en sus poemas, con naturalidad, sin gazmoñerías ni estridencias, su propio mundo interior. La mujer latinoamericana del siglo XX alcanza a hacerse escuchar a través de estas poetisas, precisamente, porque no hay en ellas artificialidad. No olvidar que el "feminismo" es en realidad anti-femenino; trata de asimilarse por completo al hombre, cosa que desvirtúa los aspectos más valiosos de la femineidad.

Las poetisas postmodernistas sudamericanas cantan lo más femenino: el amor, las pasiones, la espera, la maternidad.

Algunas fueron maestras, y aun las que no lo fueron, han dedicado tiernos versos a los niños, poniendo en nuestras letras esa delicada nota de ternura que faltaba.

Gabriela Mistral es un pseudónimo que se hizo connatural en *Lucila Godoy Alcayaga,* que nació en el Valle de Elqui, al Norte de Chile, el 7 de abril de 1889 y murió en Long Island, Estados Unidos, el 8 de enero de 1957.

Vicuña, su pueblo natal, está rodeado de montañas de poca altura; su clima es siempre suave y más de una vez aparece en la poesía de Gabriela identificado con su imagen del trópico. Además, como sus recuerdos de niñez y primera juventud están ligados a este valle, representa la única etapa feliz de su existencia. En los años más densos de su vida, en zonas inhóspitas, echó de menos con frecuencia este trópico mínimo en que nació.

Su trayectoria poética puede jalonarse en tres períodos que cierran respectivamente sus tres libros mayores, aunque probablemente no haya más que dos épocas en su vida. La primera culmina en *Desolación,* su libro inicial, de 1922. *Desolación* es el estallido de la pasión amorosa frustrada por la muerte. Esta caracterización puede no ser exacta por demasiado absoluta, pero de todos modos, la *desolación* es su nota más importante. La segunda etapa concluye en *Ternura* donde aún hay poemas que parecen haberle quedado de su primer libro.

Aun no ha curado del gran dolor pero éste se ha sublimado y se proyecta ahora hacia los niños, la mujer, los campesinos, los humildes de su tierra y de todas partes.

*Ternura* apareció en 1924; más tarde, en 1945, fué reformado por su autora. Desde entonces, hasta 1938, en que se publica *Tala,* Gabriela Mistral ha viajado, escrito y vivido en muchos países. En *Tala* el sentimiento penetra el ámbito metafísico. Su problema central es el hombre, en abstracto, y su destino. Allí están expresadas sus ideas de patria, americanismo, justicia, moral, etc. La hondura de estas ideas determinaron que se le otorgara el Premio Nóbel de Literatura en 1945, único en la historia de nuestras letras.

Pasó Gabriela Mistral su niñez en la pequeña ciudad donde nació. Fué maestra a los quince años en varias poblaciones cordilleranas. Más tarde fué al Sud, donde el paisaje cambia. Los bosques coníferos cubren las laderas de los Andes; los ríos se precipitan cristalinos y espumosos; la praderas se visten de sembradíos y árboles europeos que los colonos blancos plantaron, de modo que el contraste es muy grande para quienes vienen del Norte desolado. Después, por exigencias de su trabajo, se trasladó Gabriela más al Sud, en plena Patagonia chilena. Allí se agudizó su sentimiento de soledad, tema esencial en su poesía. El frío fué siempre su enemigo y ansiaba retornar al calor del Norte. Más tarde vino a Santiago como directora del Liceo de Señoritas. Tenía entonces treinta años. Tras el largo peregrinaje por escuelas rurales y de provincia, parecía este traslado un premio. Sin embargo no llegó a afincarse en la capital. Le parecía una ciudad extraña; en el fondo, Gabriela era más campesina que urbana. No se aclimataba fácilmente a la vida de gran ciudad.

Unos años antes había enviado algunos poemas a los Juegos Florales de Santiago conquistando su primer triunfo literario, pero además ya había escrito mucho en periódicos provincianos y no pocas páginas de lectura para niñas, incluídas en los libros de texto editados por el profesor Guzmán Maturana.

En 1922 se publicó en New York, presentado por Federico de Onís, el libro *Desolación* que le ganó prestigio inmediato en todo el continente. José Vasconcelos, entonces Ministro de Educación Pública en México la invitó a colaborar en la Reforma Educacional por él iniciada. Con este viaje inició Gabriela su larga peregrinación por América. Recorrió México palmo a palmo, viviendo a veces en pequeñas poblaciones indígenas, enseñando y empapándose a su vez de las lenguas nativas, de sus leyendas y creencias. Su ternura vacante empezó a volcarse generosamente en otros seres, especialmente en los niños.

Vivió siete años en Petrópolis, Brasil. Se marchó luego a Buenos Aires, Santiago, Lima y México nuevamente, llevando su palabra de maestra y de poetisa, dando conferencias, muchas de ellas para mujeres y hombres del pueblo.

Fué una de las pocas escritoras que llegó afectivamente a los niños y a los humildes. Publicó artículos en revistas hispanoamericanas y en los Estados Unidos. Tenía amigos en todas partes. En América del Norte, Federico de Onís y su compatriota Arturo Torres-Rioseco la invitaron a visitar varias universidades estadounidenses.

## RASGOS DE ESTILO EN GABRIELA MISTRAL

Hay un aspecto diáfano y otro hermético en su poesía. El hermetismo es a pesar suyo y no está en relación con sus temas, pues aparece aun en motivos triviales, sino con la hondura de su pensamiento. Hay una ternura extraordinaria que se ha volcado a las cosas: la brisa, las florecillas silvestres. El mundo de las cosas es muy importante en Gabriela Mistral. Hay como una dimensión vital, existencial, y este aspecto circula un tanto escondido por las líneas de una poesía aparentemente simple. Su visión del hombre es realmente filosófica. Gabriela es una escritora muy bien informada en filosofía y literatura de todas las latitudes. Ha sabido llevar esa sabiduría sin que se le manifieste en forma de erudición. Más bien trató de destilarla en gotas de poesía transparente y pura. Para lograr esa difícil sencillez ha prestado oído atento al habla popular de los distintos pueblos de América. Recogió amorosamente su habla y la vertió en su poesía con magnífica ingenuidad.

Es la suya una poesía eminentemente subjetiva y prima en ella lo sentimental. Esta mujer, frustrada en su corazón, se va desligando poco a poco de la carga sentimental que lleva a cuestas, de recuerdos y ataduras. Su maternidad no cumplida y su vocación de maestra la inclinan fervorosamente hacia los niños. Los niños son para ella hombres en estado de pureza e inocencia. Es mucho más valioso amar al niño porque en él se ama a la humanidad en su instante mejor. Se ama en ellos lo pequeño, lo desamparado en la naturaleza, lo que necesita guía.

Estos datos son importantes para juzgar la poesía de Gabriela Mistral. Por ellos comprendemos su lenguaje poético sin oropeles, de imágenes claras. Es que Gabriela tiene siempre presentes a los niños y a los hombres sencillos. El público a quien se dirige un autor es lo que determina el logro final de un estilo. Gabriela Mistral busca expresar su riquísimo mundo interior con los elementos más simples de la lengua y esto se agudiza a medida que avanza su arte. En *Tala,* por ejemplo, sus versos, a fuerza de ser sencillos, llegan casi a la oscuridad. Va desechando elementos innecesarios para quedarse con lo esencial y entonces el verso es tan claro que llega a sospecharse si no habrá una segunda intención. De ahí que en la primera lectura uno no sabe a qué atenerse. Así se comprende que se pueda llegar al hermetismo con sólo suprimir artículos o adjetivos.

Por otra parte, los versos de *Tala* recuerdan mucho al romancero por su entonación popular. Hay un rasgo más en este acercamiento a lo popular: el de los pronombres concurrentes *se te va, te me alejas.* En la lengua corriente es una tendencia bien conocida la de expresarse por medio de pronombres en serie que agregan valor afectivo y ético a lo dicho.

También aparecen en Gabriela Mistral ciertas exhortaciones que son, no precisamente de origen vulgar, pero sí del lenguaje coloquial: *Tú no oprimas mis manos, tú no bebas mi boca; lo bailemos y lo digamos.*

Gabriela Mistral ha fraguado en forma caprichosa algunos vocablos que, si bien no han tenido difusión en nuestra lengua —o quizá por eso mismo—, le confieren una recia individualidad: *encuclilladas, voltijeantes, cardenosas, noticiando, alzadura, agriura, canturía, carnudas rosas-rosas . . .*

Estos neologismos son muy personales y posiblemente sin porvenir, pero parecen sobrevenir con carácter forzoso en el poema. En esta forma el neologismo es perfectamente lícito, pero su sonido casi siempre es inquietante; no deja satisfecho al lector. Probablemente vengan de esa naturaleza bárbara, rural, que ella misma se reconocía. "Era y soy aún el pájaro natural que es todo poeta".

De paso, hay una serie de sonidos implacenteros que parecen tener el mismo origen, o como si la poetisa hiciera gala de no importarle las repeticiones ni las cacofonías: *no te va*le *decir*le *que* al*bergar*lo *rehusas; un río* sue*na* siem*pre* cer*ca; y hue*lo el *aire y* los lu*gares.*

Este deliberado *mal gusto* suele ser alarde de maestros. Unamuno también se jactaba de escribir como hablaba y de no quitar una palabra por el solo prurito de la eufonía.

En cuanto a la versificación, hay una preferencia por los ritmos y metros más duros; entre ellos, el eneasílabo.

Claro está que en sus rondas infantiles utiliza metros más sencillos, de siete y cinco sílabas. Pero en los poemas que por su temática exigen arte mayor, ella se queda en las nueve sílabas. Ocasionalmente aparecen decasílabos y alejandrinos, pero los más frecuentes son los eneasílabos, poco usados en español antes del modernismo. Cuando combina metros, lo hace siguiendo el canon tradicional: once y siete sílabas. El tono es áspero y no se reconoce de primera intención la medida porque los acentos van en los lugares más inesperados. No se encuentra en sus versos el placer de la lira. Hay una intención evidente de no dejar las cadencias al final de verso; el grupo sintáctico, por lo general, se continúa en el verso siguiente.

La adjetivación también sufre el proceso de simplificación que va desde el primero al último de sus poemas. En *Desolación* son abundantes. Allí los adjetivos dan tersura al lenguaje poético, aunque a veces los adjetivos son peligrosos porque pueden conducir a la vulgaridad. Contrastando con ese derroche, en *Tala* los adjetivos se vuelven más sobrios, algunas veces la poetisa prescinde completamente de ellos. Sólo echa mano a los determinativos que no comportan ninguna emoción. Hay poemas que parecen estar hechos de sustantivos y verbos.

Por una parte, el verso se hace tenso, pero también da una sensación de páramo, como si el sentimiento se hubiera secado.

En cuanto a la prosa de Gabriela, como siempre, se puede establecer una división entre prosa poemática y prosa discursiva. De la primera tenemos un buen ejemplo en el "Poema de las madres", quizá el poema mejor que se haya escrito en América sobre el amor maternal. Está dividido en pequeñas estancias, lo que acentúa su carácter poemático.

Otro tipo de prosa lo constituyen las "Prosas infantiles", serie de pequeños relatos para niños. Hay un cuento sobre todo, de singulares valores como prosa narrativa: "La charca". Estas páginas están construídas con poco o ningún despliegue retórico y una extraordinaria economía de palabras. Simplemente los hechos.

En "Poemas del hogar", si bien todo tiene su poesía, porque el alma del poeta saca del silencio hasta los objetos más humildes, hay un mínimo de poetización en el sentido de su elaboración literaria.

En cuanto a la prosa discursiva de Gabriela Mistral, ya directamente vinculada con su sentimiento de integración americana, sus afanes de educadora, se puede destacar

"El mensaje a las Américas", entre muchas páginas realmente vigorosas.

## DELMIRA AGUSTINI

Esta singular poetisa nació en Montevideo el 24 de Octubre de 1886. Es una de las personalidades más sorprendentes y contradictorias de nuestra literatura. Sus primeros poemas están entroncados en el modernismo, con influencias visibles de Baudelaire y de D'Annunzio entre los poetas, y de Nietzsche y Schopenhauer entre los filósofos.

Su carrera poética fué breve, como su vida, pero en sucesivos libros fué puliendo su estilo hasta dejar una obra personalísima en poesía, por lo cual debemos contarla entre los herederos del modernismo, o postmodernista, aunque murió en 1914, cuando aparecían los primeros brotes de la poesía nueva.

Su obra es temperamental. Superó las características más triviales del modernismo y es tan actual hoy como entonces.

La biografía de Delmira es simple, pero terrible. Pertenecía a una familia pudiente, vinculada a la buena sociedad de Montevideo. Su educación fué la de todas las niñas burguesas de su tiempo. Estudió música, pintura, francés, artes de aguja, es decir, una educación para el hogar y para una discreta actuación social. Pero Delmira resultó de un espíritu indomable, audaz, libre y desprejuiciado. Casi desde niña empezó a decir y escribir cosas tremendas que los recatados oídos familiares recibían con alarma. Había en ella algo de pitonisa y de bacante, un sino trágico, como en los héroes griegos y una desazón metafísica que la hacía vivir en perpetuo desequilibrio. Chocaba permanentemente con la existencia real. Algunos quieren explicar este desvarío por su ascendencia compleja: su abuelo materno era alemán, con desplantes de noble prusiano; su abuelo paterno era corso-francés y su abuela española. Ella se reconocía rasgos germánicos y españoles. Sentía extraña devoción por su madre. En uno de sus poemas dice: "Mi sangre es sangre gitana / en rubio vaso teutón", olvidando al abuelo Agustini.

Era de una belleza espectacular y extraña. Rubia, de largo pelo; ojos claros de color cambiante que resaltaban en la sombra de sus ojeras y el dorado de su piel. Era la mimada de sus padres y gracias a esto no tuvo inconvenientes en el cultivo de su genio. El padre mismo la ayudó a editar su primer cuaderno de versos. Desde entonces colaboró en gran cantidad de revistas de América y Francia. Fueron sus amigos Juan Zorrilla de San Martín, María Eugenia Vaz Ferreyra, Rubén Darío y Julio Herrera y Reissig.

Fué un alma alucinada, poseída por fuerzas contrarias. Su poesía respira atracción de vértigo hacia el abismo. Sentía terrible urgencia por agotar los zumos de la vida como si presintiera su muerte tan temprana.

La nota que suele darse como característica de su poesía, pero que no es decisiva, es el erotismo. Quizá su primer libro estereotipó una actitud crítica que no cambió con su estro. El erotismo, intenso en verdad, era más cerebral que sensual. Cuando apareció *El libro blanco* (1907) el acento de estos poemas resultaba insólito, sobre todo como poesía femenina. A veces parecen versos varoniles y a veces se descubre el terror de sus propias inquietudes, que no ocultaba.

El amor la tortura porque tiene una concepción *sui generis*; quiere un amor total, definitivo; quiere entregar su vida a cambio de otra entrega igual; lo concibe como un sacrificio a los dioses, donde ella quemará cuerpo y alma por completo. Es algo así como un culto pagano del amor. Esa llama obsesiva no podía mantenerse viva en un mundo de obligaciones y realidades cotidianas. Tuvo muchos pretendientes, pero se enamoró por primera vez a los veinte años. Fué un enamoramiento fugaz que sólo dejó en su corazón una honda llaga, pero no fué un sentimiento definitivo.

En cambio, el amor que sintió por Enrique Job Reyes, con quien se casó, fué tremendo. En él personificó su propia idea del amor. (De Delmira puede decirse con toda propiedad que vivía enamorada del amor). Adjudicó a su esposo, irreflexivamente, todas las perfecciones que había soñado. Chocaron estas ilusiones con la realidad, y fué fatal el choque para ambos. Enrique Reyes era un hombre de negocios, de familia rica, que vivía en un mundo de prejuicios y conveniencias. No comprendió el fuego dionisíaco que la quemaba.

El matrimonio duró exactamente veintiún días, según su biógrafa. Delmira regresó a la casa paterna declarando que no podía soportar "tanta vulgaridad". Esta separación violenta e inesperada en un medio como aquél, fué una desgracia para las dos familias. Por ambas partes se hicieron esfuerzos desesperados para reunir a la pareja. No hubo reconciliación. Tres meses más tarde el juez autorizaba la separación. Reyes no pudo soportar la vergüenza que significaba un matrimonio fracasado en su familia, tradicionalmente ordenada y tranquila. La atrajo a su casa y allí le dió muerte, suicidándose después, el 6 de julio de 1914.

## OBRA Y ESTILO DE DELMIRA

En vida Delmira Agustini publicó tres libros: *El libro blanco-Frágil,* en 1907, *Cantos de la mañana,* en 1910 y *Los cálices vacíos,* en 1913. Posteriormente se editó un volumen póstumo con los mejores poemas que habían quedado manuscritos. Este volumen se tituló *El rosario de Eros* y fué editado en 1924.

Esta poetisa no asistió a ningún instituto de enseñanza pública; sus padres pusieron a su alcance la más esmerada educación que podían ofrecerle. Creció rodeada de institutrices y preceptores. Quizá esto contribuyó a formar su personalidad altiva y solitaria. Tuvo pocas amigas; no le gustaba la charla de las mujeres. Tenía pocos libros; algunos de preceptiva literaria y muchos cuentos para niños. Leyó a Albert Samain, a Darío, a Herrera y Reissig, a Nervo. Conservaba sus muñecas como si deseara prolongar su niñez. En muchas cartas a Enrique usaba un lenguaje infantil de satánico encanto. Por estos detalles se infiere que hubo en Delmira dos personalidades: la niña mimada y la poetisa. En esta última latía el genio que adivina las cosas, que las sabe sin haberlas aprendido, que se asomó a los mayores misterios y aceptó su trágico destino largamente presentido.

Hay en su poesía momentos coincidentes con momentos biográficos que le dan su tinte. En su primer libro, como ya dijimos, es modernista. Hay cierto sabor a Sabat Ercasty, sin embargo. En este libro aparecen los mismos elementos retóricos y la misma mitología un poco convencional de los decadentes.

Un procedimiento que le venía del romanticismo y que ella utilizaba con otras intenciones, era el de abstraer nociones concretas por medio de las mayúsculas, disipándoles su sentido demasiado evidente: Padre, Estirpe, Vida, Esposa, Carne, Orgullo, etc. Hay profusión de mármoles, ninfas, topacios, estatuas, lirios. Pero estos elementos de utilería modernista están al servicio de su temática audaz y no como fin de su poesía. Las imágenes están aquí para despistar al lector. En apariencia hay un cromo inofensivo con lagos, parques, estatuas y cisnes. Parecen estampas pasadas de moda, un tanto desteñidas ya, pero en cuanto se acerca uno, descubre detrás de cada figura, un demonio.

En este primer libro la elocución es un poco dura y balbuceante. Prefiere los metros más corrientes, los ritmos más normales. Usa casi abusivamente el alejandrino; hasta los sonetos, en su mayor parte, son de catorce sílabas. Pero aun manejando estos versos conocidos se pierde a veces. También se pueriliza en partes.

En su segundo libro, *Cantos de la mañana* ya se arriesga en la estrofa irregular y el verso libre. Quizá por entonces decidió dar la espalda a las preceptivas, que la tiranizaban, según dice en el poema "Rebeldía" de *El libro blanco*. Ahora las unidades sintácticas no coinciden con las unidades rítmicas, lo que le confiere mayor elasticidad al verso, en contraste con sus anteriores estrofas, regulares, pesadas y de poca gracia.

Su obra mejor lograda llegó a ser *Los cálices vacíos*. Tal vez en el título podamos vislumbrar su afán de beber la vida rápidamente. A esta altura parece descubrir que no había licor alguno. Entonces se rebela porque cree que la vida la ha defraudado. Las imágenes pierden limpidez y luminosidad. Prefiere ahora los buhos, buitres y serpientes en vez de los plácidos cisnes, palomas y lirios. Las metáforas están compuestas por estas cosas repugnantes, temibles o feroces: arañas, vampiros, fieras. "Carne sombría", "hongo gigante, muerto y vivo". Los besos son picotazos de buitre que hienden la carne febril. Las manos que acarician están armadas de uñas y le parecen arañas llenas de ponzoña.

En *Los cálices vacíos* ya no es tan insistente la presencia del amor. Hay un pesimismo que quizá sea heredado de Schopenhauer, aunque puede muy bien ser el resultado de su propia experiencia. El amor, que tiene su fuente en el deseo y en el placer, es una trampa que tiende la vida para conducirnos a la muerte. Cuando más vidas crea el amor, más grande es la cosecha de la muerte.

De todos modos, se advierten reflejos de Nietzsche y su teoría del superhombre. Hay en varios poemas ("Otra estirpe", "Surtidor de oro", "Fiera de amor", "Celos") el ansia de encontrar un amante sublime, capaz de crear en ella una estirpe gloriosa y superior. Parecería considerarse una presa demasiado valiosa para rendirse al hombre vulgar. Estas ideas, la del amor como dios engañoso, aliado de la muerte y la soberbia de su propio valer, se repiten constantemente en *Los cálices vacíos*. Por eso decimos que mucha parte de su obra pudo nacer de un amargo descontento y de su egolatría. A lo largo de su poesía se pueden rastrear estos rasgos de su alma que tiñen su arte con tonos tan personales. En un poema —"Musa"— por ejemplo, trata de expresar qué espera de la poesía: que vibre, desmaye, llore, ruja y cante. Una poesía que conmueva al mundo. En "Vida" se confiesa orgullosa y llena de caprichos. Hay una especie de hastío. Es que los seres como Delmira Agustini van destapando cofres y apurando copas por la vida. Pero exigen, o sueñan, demasiado; por eso la vida es, para ellos, un engaño: los cofres están vacíos y las copas sólo tienen sal.

## JUANA DE IBARBOUROU

Esta poetisa uruguaya nació en Melo en 1895. Melo es una población del interior, cercana a la frontera brasileña. Esto, en el Uruguay, es "muy tierra adentro". Allí transcurrió la infancia de Juanita Fernández, sin mayor relieve. Vida provinciana, tranquila, agreste, combinada con la planicie verde. Las visiones de su tierra se quedaron prendidas a su espíritu y la vida metropolitana posterior no logró esfumar sus recuerdos de niña.

Su formación fué precaria e incompleta. Estuvo interna en un colegio religioso, de donde salió para casarse, a los diez y ocho años. El apellido Ibarbourou, que siempre apareció al pie de sus poemas, es el de su marido, un oficial del ejército descendiente de vascos.

Suplió las deficiencias de su educación con un extraordinario don poético y una rica emoción que se expresa espontáneamente. Su primer libro *Las lenguas de diamante* apareció en 1919. Le deparó de inmediato la consideración de los críticos. Las revistas solicitaron desde entonces su colaboración, lo mismo que los diarios y periódicos de América y España. Quizás despertó curiosidad el hecho de que sus poemas cantaban a la vida y a la juventud con acento ingenuo, cosa no común en su tiempo. En 1920, por una iniciativa de José Santos Chocano, la Legislatura del Uruguay la proclamó "Juana de América".

Su tesitura poética más característica es el canto de las cosas elementales y eternas. Siempre fué, en el fondo, una muchacha campesina arisca y un poco salvaje. Por eso tal vez su poesía se concentra principalmente en los temas de la vida y la naturaleza.

*Las lenguas de diamante* es un canto vibrante a la juventud y al amor. Hay una contemplación gozosa de su propia belleza, que parece cuidar, o preservar, en espera del hombre que vaya a despertarla. Esta nota narcisista se mantiene en casi todos sus libros, pero es más visible en los primeros. La serie de poemas gira alrededor de este tema casi único: el amor. Amor apasionado, casto, feliz, audaz, un poco triste, nunca trágico. Hay una premura por vivir y por gozar de la vida en sí misma —muy propia de la adolescencia— cantada en versos frescos, que parecen páginas de un diario íntimo. Siente desarrollarse la vida dentro de ella y en el mundo que la rodea. Ella es un elemento de esa naturaleza que crepita de vida, que está madurando. Siente que su ciclo también va a cumplirse; por eso quiere realizarse vitalmente. Esa premura está justificada por el temor a la vejez y a la pérdida de su belleza.

Alguien ha dicho que nunca se había ofrecido una mujer de modo tan imperativo y al mismo tiempo con tanta femineidad e inocencia. Su entrega no daña por su dichosa complacencia. Hay en ella una timidez que la protege y una ausencia de convenciones que la hace escapar de la moral corriente. Parece una muchacha radiante, llena de impulsos y anhelos. El libro fué publicado cuando la poetisa tenía veinticuatro años, pero muchos de sus poemas fueron escritos años atrás, en plena adolescencia, cuando aun estaba sumergida en su arcádica vida campesina. El segundo libro, *El cántaro fresco,* está escrito en prosa. Se nota una madurez, mental y sentimental, con respecto al anterior. Prefiere tratar en prosa casi los mismos temas de su primer poemario, pero su prosa es musical. Sin embargo, hay mucha más contención de sentimientos; hay emociones maternales, decrece la actitud narcisista. Los pensamientos son más solemnes y menos egoístas. Lo que no ha cambiado es su culto por la luz, la claridad y el movimiento, ni cambiará a lo largo de su trayectoria poética, como su temor a la oscuridad y a lo inmóvil, que en el fondo es temor a la muerte.

Su tercer libro fué *Raíz Salvaje* (1920). Vuelve en él la muchacha primitiva de *Las lenguas de diamante,* aunque no con la espontaneidad de antes, sino con sed de vida auténtica, con repugnancia por la sedentaria vida de la ciudad. Sus versos son más tranquilos, más pulidos; sus conceptos más profundos. Se ha liberado grandemente de la tiranía de la métrica; ensaya nuevos ritmos. Al principio se ajustaba demasiado a los cánones de la versificación. Escribió muchos sonetos, no siempre excelentes, alejandrinos —fácil y amplia trocha para el sentimiento—, y octosílabos.

Ahora las estrofas no son tan uniformes. Expresa el llamado de la naturaleza. Raíz salvaje es su propia raíz. Como Gabriela Mistral, nunca se sintió feliz en las ciudades.

Luego vienen *Canciones de Natacha,* poesías infantiles, y *La rosa de los vientos* (1930), que marca un notable giro en su evolución poética. Allí se nos muestra completamente distinta. Parece que quisiera demostrar su virtuosismo, su capacidad de manejar el verso de acuerdo a las nuevas corrientes literarias. Esto hace cambiar también su modalidad y los poemas de este libro suenan algo postizos. Construye sus versos con imágenes laberínticas, como para convencernos de que también puede hacer poesía moderna. Pero estos laberintos son de cristal. Además de estas novedades formales que no implican mayor sinceridad, lo que sí parece ser un cambio real es que ya no se refugia en el pasado. La vida campesina parece haber quedado demasiado atrás. Es que la vida presente está llena de puntas que la hieren. En el fondo, las personas que se refugian en el pasado, lo hacen como rebeldía ante su existencia actual. En ella hay una superación; enfrenta su actualidad aunque la vida futura no puede ofrecerle ya muchas promesas, porque lo que queda es declinación y ocaso. La única escapatoria es el sueño. Es curioso que después del título *La rosa de los vientos,* símbolo náutico donde están inscriptos todos los rumbos, haya escrito *Perdida* (1950), como si aquella búsqueda no la hubiera llevado a puerto sino a mayor confusión.

Después de 1930, en el año 34, escribe dos libros sobre temas religiosos: *Estampas de la Biblia* y *Loores de Nuestra Señora,* ambos en prosa. No son páginas místicas. Simplemente que ella fué educada en un colegio de monjas y ciertas figuras bíblicas la impresionaron. El hálito no es de misticismo, sino de religiosidad y de unción poética. Las *Estampas* son páginas sobre algunos de estos personajes que la conmovieron: Ruth, con quien se compara a menudo, Judith, Sara, Abraham, David.

Los *Loores de Nuestra Señora* son como ampliaciones poéticas, como paráfrasis de las letanías. Hay gratitud hacia la virgen que ha traído serenidad y luz de fe a su espíritu.

Los temas de Juana de Ibarbourou, como ya se ha dicho, son la vida, el amor, el temor a la muerte, pero no hay en ningún momento implicaciones filosóficas. No especula, ni su poesía tiene ambiciones trascendentales. Es emoción que se transfigura en ritmo. Canta a la vida por lo que ve diariamente en el espectáculo de la naturaleza; la apasiona el misterio de la perpetua creación. Canta al amor porque su cuerpo y su alma tienen todo el ardor de una juventud fuerte y ansiosa. Hay una especie de culto por el movimiento. El agua, el río, los pájaros, son símbolos de vida, de impulso, de ritmo. Si no hubiese sido poetisa, hubiera sido bailarina, ha dicho un crítico. En cambio la noche, el sueño, lo inmóvil y silencioso le producen estremecimientos de terror. Son las imágenes de la muerte y Juana de Ibarbourou teme a la muerte.

El último libro de la poetisa uruguaya apareció en 1953 y se titula *Azor*. Su canto ha reencontrado la serenidad. Marcha confiada bajo el amparo de la fe. "Tranquilo el corazón que en guerra anduvo", dice. Su lenguaje es sereno y maduro. Hay algunos sonetos magistrales.

## ALFONSINA STORNI

En la poesía de Alfonsina Storni nos asomamos a otros rincones del alma femenina. Su vida y su arte tienen ciertos paralelos con la atormentada poetisa uruguaya Delmira Agustini. También Alfonsina poetizó los hondos deseos de su carne, y, lo mismo que Delmira, los consideraba su gran desventaja. Para ella es terriblemente injusta la sumisión de la mujer al hombre en todos los campos. Cree que esa sumisión nace de la pasividad femenina frente a las urgencias sensuales del hombre.

Con estos elementos de su drama afectivo construyó su poesía. Hay rastros dolorosos de esta lucha en todos sus libros. La vida de Alfonsina Storni, trabajada y triste, fué también de permanente lucha contra la pobreza, la incomprensión y contra la terrible enfermedad que la llevó al suicidio cuando tenía 46 años de edad.

Se graduó de maestra provincial en Santa Fe y en seguida se marchó a Buenos Aires dispuesta a abrirse paso. La serie de oficios que desempeñó en la capital es larga: fué obrera de fábrica, maestra de niños minorados, profesora de Castellano, periodista y finalmente, Directora del Teatro Infantil Lavardén. Aparte de un corto viaje por Europa en 1930, vivió siempre en Buenos Aires. Gozó de la amistad y admiración de los más destacados hombres de letras del momento: Leopoldo Lugones y Horacio Quiroga en su país; Sanín Cano y Federico de Onís en el exterior.

Como prosista, colaboró en *La Nación* de Buenos Aires y en otras publicaciones. Escribió deliciosos cuentos, poemas en prosa (*Poemas de amor,* 1926) y obras teatrales (*El amo del mundo,* 1926; *Dos farsas pirotécnicas,* 1931 y *Blanco, negro, blanco*).

Su obra poética, amplia y variada, va desde *La inquietud del rosal* (1916), pequeño poemario romántico, hasta *Mascarilla y trébol* (1938), aparecido poco antes de su muerte.

Alfonsina Storni es, ante todo, poeta. Por eso, aunque todavía está por estudiarse su prosa, que contiene grandes bellezas, vamos a considerar solamente su labor lírica. Allí estaremos más cerca de su alma poderosa, de sus afectos y pasiones. En ella podemos gozar, además, una de las más extrañas poesías de América.

Hay en esta poesía dos maneras —al menos— completamente distintas: antes y después de 1934.

Antes de aquel año sus libros nos van mostrando los momentos sucesivos de una gran lucha interior. Para 1934 la lucha ha cesado: la llama de su sensibilidad parece haberse apagado. Sus poemas, a partir de *Mundo de siete pozos* (1934) son fríos, cerebrales, como si Alfonsina hubiera alcanzado al fin un plano donde ya no agitaran su alma las pequeñas inquietudes de la carne.

Parnaso, modernismo y ultraísmo, no son más que modos accidentales de expresión en Alfonsina Storni, coincidentes con actitudes suyas ante la vida. Por eso no es difícil encontrar rasgos de las tres tendencias en un mismo libro suyo. (De paso, esto no es raro en los escritores postmodernistas. Casi todos ellos han transitado, en su carrera literaria, desde el modernismo hasta los últimos experimentos poéticos de nuestro tiempo).

En su juventud, aunque ya está presente su resistencia —su desconfianza, más bien— frente al varón, hay un alegre canto a la fiesta amorosa.

"En darme pura no hallaré desdoro / pues darse es una forma de la altura" (*) dice en 1919. Pero hay algo íntimo y precioso que no entregará: su orgullo de mujer superior, las sutiles vibraciones del alma que el hombre no podrá nunca conocer ni valorar.

Esta subestimación del hombre —que Alfonsina comparte con Delmira Agustini también— es su limitación sentimental. No puede gozar enteramente del amor pues siempre están atravesadas en el camino estas ideas: el hombre sólo busca satisfacer sus instintos; la mujer es una esclava mientras no escape de la esfera sensual del varón.

En "Hombre pequeñito" la poetisa se burla con amargo sarcasmo de esta situación absurda en que el hombre, con su ínfima estatura espiritual, es capaz de subyugar a la mujer sólo porque es físicamente más fuerte. "Digo pequeñito porque no me entiendes / ni me entenderás". (**)

Luego vienen las primeras angustias del tiempo estéril. La muchacha se ha hecho mujer y el amor, tal como ella lo quiere, no llega. Hay por estos años (1925 en adelante) la contemplación apesadumbrada de su cuerpo, todavía fuerte y hermoso, que se quema en soledad.

Esta larga espera, esta ansiedad enorme de su carne, empieza a dar amargos frutos. La mujer va saboreando, entre sollozos y remordimientos, los fugaces placeres de un amor incompleto: "Yo soy la mujer que vive alerta (. . .) Ah, me resisto, mas me tienes toda, tú que nunca serás del todo mío", dice en *Ocre* (1925).

A partir de *Mundo de siete pozos* Alfonsina parece haber vencido. Consiguió ya sofocar su corazón, o al menos no permite que sus sentimientos se asomen a su poesía. Pero al mismo tiempo cambia sus técnicas, por influjo de las nuevas tendencias literarias. Quiere ensayar la poesía incoherente, la metáfora aislada, la asociación libre. Esto da a sus poemas un aire de frialdad, de experimento intelectual. Sin embargo sus versos suenan distintos; no hay gran semejanza entre Alfonsina y los poetas neo-barrocos tan imitados en Hispanoamérica: García Lorca, Pablo Neruda.

---

(*) y (**) De *Irremediablemente,* 1919.

Desde luego este esbozo de su arte, como adherido punto por punto a su vida, no puede ser absoluto. Quizás el valor anecdótico, tan fácil de descubrir, no sea más que un aspecto característico de su poesía; esto no quiere decir que toda la obra de Alfonsina esté encadenada a lo anecdótico.

En este último período, precisamente, la poetisa está tratando de disfrazar su mundo emocional. Su triunfo es simulado. Su hermetismo no es otra cosa que un nuevo simbolismo mediante el cual está diciéndonos las mismas cosas en lenguaje diferente. Su propio grito de victoria —dolorido grito—, delata su identidad con la Alfonsina de antaño: "Si en el pecho me busca / el corazón mortal, / mire la roca negra / donde clavado está. / Un cuervo pica siempre / pero no sangra ya".

En *Mascarilla y trébol* hay unos magníficos "antisonetos". La lucha es ahora por la forma. Hay una auténtica rebelión contra los preceptos, una búsqueda del propio camino, que truncó su muerte. El ensayo de Alfonsina hacia un simbolismo menos evidente nos recuerda a Gabriela Mistral y a Juana de Ibarbourou. Es como si la mujer, por natural pudor, quisiera escatimar a toda costa su intimidad y que al mismo tiempo, su necesidad de comunicación le impidiera llegar a la expresión críptica.

En Alfonsina Storni, salvo esos intentos, el estilo es sencillo, transparente, conciso. Sabe encontrar la expresión justa aunque a veces la concisión la lleve a la frase tosca. Su personalidad independiente, voluntariosa, se manifiesta en ciertos descuidos que más parecen desprecio por lo elegante. También hemos visto que Gabriela Mistral tiene una voz enérgica, no afinada para fiorituras mozarteanas, sino más bien para el proceloso Wagner.

Algunos de esos prosaísmos en los versos de Alfonsina, sólo unos pocos, para no extender demasiado el catálogo negativo.

"La mujer bella — *la de mediana edad*" ("La que comprende", en *Languidez,* 192)

"medido estaba *todo aquello que se debía hacer*" ("Bien pudiera ser", en *Irremediablemente,* 1919)

"con un *aire de actor del papel dueño*" (El engaño", en *Ocre,* 1925)

Sin embargo, con el mismo descuido, o deliberada improlijidad, a veces logra aciertos notables. La densidad expresiva de un idioma no depende siempre de la pulcritud del estilo.

"pienso que sin querer*lo lo* he *li*bertado yo"
"te a*mé me*dia hora, no *me* pidas *más*".
"Señor, el hijo mío que no nazca mujer".

Las dos ideas centrales que señalamos al hablar de su vida, se manifiestan también en los rasgos de su poesía; ansias de libertad y un profundo pesimismo.

Son notas pesimistas sus palabras oscuras, portadoras de desesperanza y amargura: *ciego, sombra, oscuro, doliente,* que Alfonsina usa repetidamente.

Sus poemas "Epitafio para mi tumba", "El hombre", "El ruego", "Veinte siglos", son ejemplos de esta visión que anotamos.

Frente al clasicismo de algunos poetas modernistas, esta actitud de Alfonsina —y de muchos postmodernistas— se nos aparece manifiestamente romántica.

# III

# LA PASION AMERICANA

## PEDRO HENRIQUEZ UREÑA

Un trabajo sobre literatura hispanoamericana contemporánea no puede prescindir de la figura eminente de don Pedro Henríquez Ureña. El recorrió América —del Sud y del Norte— en una incansable empresa de cultura. El inquirió en cada rincón del continente las respuestas a nuestras preguntas esenciales. Supo revelar y hacer comprensibles los más oscuros momentos de nuestra cultura espiritual. Estudió la historia de América hasta más allá de los documentos. Estudió nuestra literatura y armó para el futuro esquemas permanentes. Nos enseñó a admirar lo que parecía desdeñable y a valorar con criterio ecuánime el legado de nuestros hombres de letras. El, en fin, está presente en cada obra crítica, o histórica, o antropológica que se escribe en nuestros días sobre América. En cada página de este trabajo se ha recurrido una y otra vez a su sabia palabra. Preciso es que ahora nos ocupemos de él mismo, no para rendirle homenaje, sino porque este pensador y maestro es también uno de nuestros grandes escritores. Pertenece, además, al período que estudiamos y su papel en las generaciones que produjeron entre las dos guerras es rector.

La *pasión americana* cobró en Henríquez Ureña una dimensión excepcional. No sólo es uno de los apóstoles de la cultura hispanoamericana, sino que suscitó vocaciones y difundió ideas, viniendo a ser el centro indiscutido a donde convergen los ideales de quienes representan esta dirección del postmodernismo: Alfonso Reyes, José Vasconcelos, Ezequiel Martínez Estrada.

Era Henríquez Ureña un escritor refinado y sobrio. Predicó que la literatura es un oficio, una artesanía, y que es necesario aprenderla. Combatió la improvisación y la verbosidad. Si América ha aprendido su lección, no habrá tantos aficionados de pluma repentina. No todos pueden ser escritores con sólo proponérselo, así como no todos pueden ser médicos.

"Si abunda la palabrería es porque escasea la cultura, la disciplina", explicaba con lapidaria frase. Estos principios repetidos insistentemente en la cátedra y en el libro, empezó por aplicarlos severamente a su propio estilo. La prosa de Henríquez Ureña es sencilla y de extraordinaria claridad. Los temas más arduos se deslizan bajo su pluma con tal naturalidad que parecieran ser sólo cuestión de sentido común y no fruto de larga meditación.

"No se ha dado educador más legítimo", dijo Alfonso Reyes expresando el dolor que México sentía por la desaparición de Henríquez Ureña. "Su pensamiento tenía siempre la pulcritud del verso y del teorema", respondió Martínez Estrada desde Buenos Aires.

México y la Argentina tenían razón de lamentar su muerte. En ambos países la permanencia de Henríquez Ureña fué larga y su obra ordenadora muy grande. Pero todo el continente, toda nuestra cultura, recibió los beneficios de este formidable humanista, este gran catalizador de ideas que ya se alineó indiscutiblemente junto a las figuras ilustres de nuestra historia cultural: Andrés Bello, Domingo F. Sarmiento, Eugenio María de Hostos...

Nació Pedro Henríquez Ureña en Santo Domingo, el año 1884, pero vivió en su patria muy pocos años. Estuvo en Cuba y llegó a México alrededor de 1907. Allí se graduó de abogado y se casó. Se incorporó a los jóvenes del Ateneo y con ellos se dió al estudio de la filosofía y las literaturas en un intento por superar la tradicional desidia latinoamericana. Luego dieron conferencias, clases públicas, fundaron la Universidad Popular, como ya se ha dicho.

Más tarde viajó a España; allí trabajó con Menéndez Pidal en el Instituto de Estudios Históricos. De vuelta en México, fué profesor de la Universidad. En 1924 se trasladó a la Argentina. Fué catedrático del Colegio Nacional de la Universidad de la Plata.

En la Argentina fundó el centro de estudios lingüísticos más serio de América: el Instituto de Filología de la Universidad de Buenos Aires, imitado luego por otras universidades de la Argentina y de América. Más tarde inició, junto al distinguido estudioso Amado Alonso, la publicación de obras capitales para la ciencia del lenguaje, en la Colección de Estudios Estilísticos, primera en lengua española.

En 1940 viajó a Estados Unidos para dictar cursos en Harvard. También enseñó en la Universidad de Minnesota. Regresó a Buenos Aires, donde murió en 1946.

Su obra más grande fué, pues, la de maestro: el contacto personal, la conferencia, el cenáculo. De este modo ganaba discípulos y amigos, siempre dispuestos a continuar

Los libros que editó en vida son relativamente pocos: el primero, *Ensayos críticos,* apareció en Cuba (1905). Le siguen *Horas de estudio,* publicado en París (1910) y una serie de trabajos sobre versificación, filología e historia literaria hasta llegar a los *Seis ensayos en busca de nuestra expresión* (La Plata, 1928) y *Literary Currents in Hispanic America* (Harvard, 1945), sus dos obras de mayor aliento. (*)

---

(*) En orden cronológico, sus títulos más importantes son: *Ensayos críticos,* 1905; *Horas de estudio,* 1910; *La versificación irregular de la poesía castellana,* 1920; *La novela en América,* 1927; *Seis ensayos en busca de nuestra expresión,* 1928; *La cultura y las letras coloniales en Santo Domingo,* 1936; *Plenitud de España,* 1940; *Literary currents in Hispanic America,* 1945, e *Historia de la cultura en la América Hispana,* 1947.

Fondo de Cultura Económica ha reunido todos sus trabajos sobre historia y crítica literaria bajo el título general de *Obra crítica,* México, 1960.

En colaboración con Amado Alonso dejó una *Gramática Castellana,* estupendo manual donde se han destilado las concepciones más nuevas en filosofía del lenguaje. Probablemente tardará mucho tiempo en aparecer un texto que la reemplace y ya significa, para nuestro tiempo, una renovación tan amplia en los estudios del idioma como fuera en el siglo pasado la Gramática de Andrés Bello.

Un año después de su muerte, apareció la *Historia de la cultura en América Hispánica* (México, 1947). Algunas de sus ideas y proyectos, que no pudo realizar en vida, se están llevando a cabo hoy, por los amigos y discípulos que dejó en toda América. Ediciones críticas, colección de clásicos americanos, estudios de dialectología, etc., son la herencia de este gran ciudadano de América.

## ALFONSO REYES

Alfonso Reyes nació en México el 17 de mayo de 1889 y murió el 27 de diciembre de 1959. Se inició como poeta para terminar siendo uno de los mejores prosistas de nuestra lengua. Tanto en su labor creadora como en sus obras críticas, Reyes ha cuidado siempre la jerarquía de la inteligencia. Dueño de una erudición superior, elaboró sus poemas y prosas con una difícil claridad. No es un escritor que busque efectos en base a cabriolas conceptistas. Es un típico humanista —hombre del Renacimiento— con sus varias capacidades, ninguna frustrada, sino por el contrario, magníficamente realizadas. Es clásico, en el mejor sentido, por su armonía y serenidad.

Fué profesor en México. Vivió un largo período, de 1914 a 1924, en España. También desempeñó misiones diplomáticas en Francia y Sud América; fué embajador en Buenos Aires y en Río de Janeiro. A pesar de sus actividades oficiales trabajó intensamente en las letras. Desde *Cuestiones estéticas,* aparecido en 1910, hasta su muerte, se han publicado más de ciento treinta títulos.

Entre sus obras en prosa hay que distinguir los ensayos sobre temas varios, y las de creación. En el primer grupo debemos ubicar sus *Cuestiones estéticas, Cuestiones gongorinas, Simpatías y diferencias, Visión de Anáhuac, El plano oblicuo* y otras.

Las obras en verso más importantes son *Ifigenia cruel, Huellas, Otra voz, Romance del Río de Enero,* reunidas en 1952 bajo el título de *Obra poética.*

Los hombres de su generación tenían un poco en menos a la poesía, en cuanto no era el mejor instrumento para expresar sus múltiples ideas. Como poeta, Reyes pertenece al postmodernismo, aunque cultivó casi todas las tendencias, desde las formas tradicionales hasta la poesía de vanguardia. Claro está que en cada caso su poesía adopta un tono muy personal, pues Reyes es un escritor que trabaja su estilo desde muy temprano y no hace concesiones a la época ni a los autores contemporáneos.

Dice Henríquez Ureña que su poesía es "toda símbolo y cifra", de modo que lo emocional sólo será reconocible para alguien que lo conozca muy de cerca. Esta forma de pudor, este afán de ocultar lo íntimo, parece ser un rasgo mexicano. Hemos visto la misma reserva en González Martínez y sería interesante rastrearla desde Sor Juana y Ruiz de Alarcón.

Hay otro rasgo en Alfonso Reyes que es interesante anotar porque significa una actitud diferente en la época. No hay en él decepción, no hay sombras ni angustias. "Amo la vida por la vida", exclama, como replicando a los esteticistas que cultivaban "el arte por el arte".

Reyes se nutrió desde temprano en los clásicos. Aprendió a juzgarlos en su fuente misma, a lo largo de un estudio demorado y sistemático. Por eso se puede decir de él, con más justeza que en cualquier otro caso, que fué un escritor *ático.* Sintió las delicadezas más sutiles del arte griego, le dedicó muchas horas de estudio, pero Reyes no es en modo alguno un neo-clásico. Su poema trágico *Ifi-*

*genia cruel* es un buen ejemplo de su emoción poética conmovida ante las figuras de Eurípides. Pero este conocimiento de los grandes trágicos griegos rebasaba los moldes de la poesía lírica. Reyes no imita a los clásicos; los re-crea. Más aún, su erudición en cuestiones literarias de Grecia, Roma y España tendían a la prosa, es decir, al ensayo.

Ahora bien, ¿de dónde sale esta vocación científico-literaria en un latinoamericano? Pedro Henríquez Ureña nos aporta importantes datos sobre la más célebre escuela positivista del México anterior a la revolución: la Escuela Preparatoria. Su método era la sistemática de las ciencias; por lo tanto, educaba el intelecto para las más arduas especulaciones. Allí se formó Alfonso Reyes. Los progresos de las disciplinas físico-naturales parecían deberse a la eficacia de los métodos empleados en ellas; de ahí que se aplicaran —o se intentaran aplicar— esos métodos a las ciencias del espíritu. Esto llevó al determinismo, pero a principios del siglo XX se inició la reacción. Surgieron los filósofos espiritualistas, luego de la psicología de Bergson, que ubicó los fenómenos del alma en su dimensión natural, el tiempo. Pero, hacia 1910, en México, lo mismo que en otros países, eran escuelas como la Preparatoria las que educaban a la juventud intelectual; escuelas con recia raigambre en la filosofía positiva.

En espíritus como Reyes esta formación no fué un obstáculo; por el contrario, le disciplinó la mente y pudo estudiar mejor las nuevas ideas que iban apareciendo y desplazando al positivismo. Después de egresado buscó su derrotero en las nuevas teorías filosóficas. De ahí el aplomo y la solidez de su saber. Fué afán suyo siempre "no saber nada a medias" y en esto coincide con una de las direcciones apuntadas del postmodernismo.

Por aquellos años empezó a hacer estudios serios de la lengua española. Esta preferencia resultaba un tanto extraña en su tiempo; los modernistas habían empezado por desconocer todo lo español. Prefirieron observar los pasos nuevos de la poesía en otras lenguas, en especial, la francesa. Por otra parte, en las universidades persistían academismos dieciochescos, preceptivas y métodos literarios que venían desde Luzán. A pesar de este panorama desalentador de la literatura española, Reyes la empezó a estudiar con sumo interés y de pronto descubre la poesía de Góngora. Pero no sólo se ocupó de los poetas; también hizo estudios de la novela en Diego de San Pedro, poniendo en evidencia valores hasta entonces ignorados en nuestras letras.

En 1913 se inició en la cátedra de Filología Española en la Universidad de México, la primera cátedra de esta disciplina que se haya dictado en América. En aquella jornada participó también Henríquez Ureña. Después de permanecer un tiempo en Francia, como diplomático, se trasladó a España en 1914 y entró a trabajar en el Centro de Estudios Históricos de Madrid, bajo la dirección de don Ramón Menéndez Pidal. Fueron sus compañeros de estudio Américo Castro, T. Navarro Tomás, Federico de Onís y otros. Realizó con ellos diversos trabajos: fichas bibliográficas para la Revista de Filología Española, ediciones de clásicos, búsquedas lexicográficas. Trabajaba con tanto empeño que se quejaba de no poder quitarse en todo el día "la pantufla filológica".

Entre 1915 y 1920 aparecieron sus estudios, sus ediciones de Lope, el Arcipreste, Calderón, Góngora, Quevedo y Gracián, más una versión en prosa del Poema del Cid. Además escribía una página semanal para *El Sol* sobre temas históricos. (Más tarde apareció una colección de esos artículos). También tradujo del inglés a Chesterton, Stern y Stevenson. Había en España una gran demanda por libros ingleses; él no pudo eludir esta demanda editorial y tuvo que hacer varias traducciones. De este tiempo son sus cartas, en las que se queja de no tener tiempo para escribir.

Sin embargo, escribía. A pesar de haber cultivado con igual entusiasmo la poesía, el cuento, el ensayo, el periodismo, la crítica, se suele decir que Reyes es un ensayista.

Esta clasificación no carece de valor pues así como se interesó por la antigüedad clásica y por los clásicos españoles, también estudió con sagacidad las literaturas modernas. Reyes aprendió mucho de los ensayistas ingleses. Al modo de los grandes maestros del género, Alfonso Reyes es un ensayista. El ensayo es su medio preferido de expresión. De la literatura inglesa adoptó la libertad de criterio y de elaboración. Según Henríquez Ureña, no ha seguido a los escritores del siglo XVIII sino más bien a los románticos (Lamb, Hazlitt) que retomaron el ensayo al estilo de Montaigne, sin ajustarse a un plan, dejando que se desarrolle libremente, sin esquemas preestablecidos, sin aparato lógico, sin intenciones de persuadir, sino más bien dejándose llevar por las ideas al ritmo con que van surgiendo.

Cualquier tema, cualquier comparación o asociación de ideas es chispa que lanza al escritor en la autodiscusión de un problema. Es admirable la capacidad de Reyes para el ensayo de este tipo.

Evidentemente, su inteligencia es de carácter dialéctico. Siempre hay discusiones y problemas; por eso se inclina más al ensayo que a la narración. Le gusta volver una idea del revés, cambiar el punto de vista. Este procedimiento, habitual en Chesterton, suele dar resultados inesperados. Al contemplar las cosas con actitud dialéctica, siempre se desemboca en la antinomia o en la paradoja. Ante la afirmación de un valor siempre surge el desvalor, lo cual conduce a otros escritores al pesimismo, pero no a Alfonso Reyes.

El mexicano suele ser fatalista; la ineludibilidad del destino le da una permanente tristeza. En Reyes, sin embargo, hay una actitud más sabia, más serena. Sabe que la antinomia ha de resolverse y que en el mundo hay juegos de antinomias que simplemente hacen relativos los conceptos, y que esta relatividad es la esencia misma de la vida.

Por eso puede afirmar que "la inmarcesible faz del mundo brilla como en el primer día". De ahí también que, a pesar del auge de las filosofías nuevas y de las estéticas anti-racionales, no se embandera. Tiene confianza en el poder de la lógica y esto lo previene contra las literaturas de la incoherencia, aunque pudo embarcarse en ellas como creador de escuela, pues su teoría del "impulso lírico" pudo ser el punto de partida. Según esta teoría, hay un impulso, un excitante, que lanza al escritor en la labor creadora como el fulminante estalla incendiando el explosivo que envía el proyectil hacia el blanco. La creación artística es, para Reyes, una energía ascendente de la vida. Pero, al mismo tiempo, desconfiaba del impulso en sí, librado a sí mismo. Impulso e instinto deben ser ordenados por la razón. Por eso Reyes es –según Henríquez Ureña– "el reverso del improvisador sin brújula y del extravagante sin norma".

Especialmente después de haberse retirado del servicio diplomático, Alfonso Reyes escribió mucho. Cada año publicaba uno, o dos libros. Actualmente se están editando sus *Obras completas* que abarcan, como dijimos, más de un centenar de títulos, algunos fundamentales en nuestra lengua.

En 1955 se celebró su jubileo literario; se le rindió homenaje en todas las universidades mexicanas y se editaron libros con los testimonios de todo el continente.

Aunque algunos trabajos menores de Reyes se publicaron antes, pertenece a la generación de 1910, aquel grupo de intelectuales que se reunió por su afinidad de ideas, trabajando en estrecha colaboración. Coincide la iniciación de estos trabajos con la Revolución Mexicana y el grupo tiene el mérito de haber mantenido viva la cultura creando moldes perdurables en su patria. Han sido actores y epígonos de este movimiento intelectual. Casi todos ellos han escrito mucho sobre esos años heroicos y los han hecho conocer en todo el continente.

# REYES Y LA PASION AMERICANA

A Alfonso Reyes se le podría llamar "poeta" si su labor de ensayista no abrumara a la poética en número y densidad. Es además un magnífico cuentista y ha contribuído positivamente en el drama. Pero la casilla en que mejor se ubica es la de ensayista. Cultivó casi todas las formas imaginables de ensayo. Los temas de estos ensayos también son variadísimos, pero a pesar de su cultura europea, vuelve repetidas veces a las preocupaciones americanas. Ya hemos visto que los temas americanos son tópicos esenciales en los hombres del 10 y que sus reflexiones están dirigidas a encontrar un sentido en la vida americana, a aclarar el significado y carácter de nuestra cultura.

En 1917 publicó Reyes su *Visión de Anáhuac,* pero tal vez se refleje mejor su posición frente a la realidad americana en *La última Tule* (1942). En esta serie de ensayos Reyes empieza reflexionando sobre el descubrimiento de América y su consecuencia en la vida intelectual, en los conocimientos geográficos y humanos, en las concepciones religiosas, en los géneros literarios y en la poética. Esta irrupción de América en el mundo occidental viene a favorecer el afán de utopías característico del Renacimiento. América sería, en adelante, el lugar donde toda utopía puede realizarse. Concluye Reyes afirmando que hoy, a pesar del avance de las ciencias, América sigue siendo "la última Tule", la última esperanza para la fantasía del hombre.

Deslinda también la contribución de América a la cultura occidental, tema que fué preocupación constante de Pedro Henríquez Ureña. Reyes llama "inteligencia americana" a la cultura natural del espíritu en América. El contenido no varía gran cosa, pero sí hay diferencia de ritmo; hay un *tempo* más ágil que en Europa, patentizado en la prisa de nuestra evolución. Analiza las características del intelectual americano y afirma que las circunstancias azarosas han configurado un tipo especial de intelectual: el hombre-orquesta, y que ese intelectual ha debido luchar contra toda clase de adversidades. Esta suerte lo ha dotado de un hábito de lucha y le ha impuesto un imperativo de acción. Según Reyes, el intelectual americano se siente equidistante del fenómeno norteamericano y de la cultura europea. Cabalga, además, sobre dos actitudes aparentemente irreductibles: universalista y localista.

Propone también, a la inteligencia americana, una previa tarea de método. Exige del intelectual una actitud seria y sistemática. Quiere que nos conozcamos para poder expresarnos coherentemente y poder ser conocidos.

La tesis final de estos vigorosos ensayos es: América está destinada a realizar la utopía, el mundo mejor con que sueña la humanidad.

## EL ESTILO DE ALFONSO REYES

Es difícil encontrar una unidad de estilo en un escritor de tal fecundidad. Se encuentra en su obra de todo, tanto en temas, como en géneros y formas de expresión. Se ha dicho que es una mezcla de antiguo y moderno, un Góngora con algo de Mallarmé. Como poeta prefiere a veces la expresión oscura, pero que no escape a la sensibilidad del lector. Como prosista, a veces encontramos sus frases claramente delineadas y otras en que parecen ser crónica periodística, sin armazón ni mucho aliño.

Se puede decir, entonces, que su estilo típico es el del ensayo, género de por sí escurridizo; una supuesta fisonomía de coloquio que quiere ascender al género artístico, conversación decantada, sobre todo cuando se deja deslizar por diversos campos el libre fluir de las ideas. La mayor parte de su prosa es de ese carácter. No hay esfuerzo visible ni trabajo de elaboración. En los ensayos históricos o de crítica literaria, nunca llega a lo demasiado rígido. Las citas llegan espontáneas y perfectamente ensambladas, como parte del texto. Hay una alegría de vivir intensa e inagotable. Aun en los momentos de emoción, hace una morisqueta que avienta la adustez de la frase.

> "¡Oh, cuánto depura la ausencia —la estudiosa ausencia— los sentimientos nacionales! Es una pasteurización por el vacío". (*Cortesía,* 1948)

Sabe pulsar todos los registros con igual maestría. No es un apasionado; sabe controlar el torrente emotivo. Cuando es exuberante es porque quiere serlo, lo mismo que cuando produce oscuridades poéticas. Otras veces es diáfano, hasta el punto de hacernos olvidar que estamos leyendo un ensayista. Conoce su idioma y puede utilizar todos los recursos que éste le ofrece. Su experiencia en el Ateneo y en la Universidad Popular lo puso en condiciones para una actividad literaria que desarrolló en España, en el Centro de Estudios Históricos. De pronto parafrasea a un clásico, o adopta giros de un autor moderno, o recurre al habla popular mexicana.

Los elementos científicos o técnicos se tornan con facilidad en elementos fantásticos. Está tan al día con los progresos de la ciencia pura, que a veces se adelanta a los descubridores. Cuando necesita iluminar un tema no desdeña ninguna clase de imagen. Es como si poseyera un secreto poder evocador, una magia de las palabras.

Su prosa es una de las más bellas y depuradas del español moderno. Vía ancha en su ensayo es la historia. Por ejemplo, en *Pasado inmediato* (1941), al evocar una época de lucha en que se forja una cultura, como es la época de la Revolución en México, nos da la pista para conocer su concepto de la historia. Se propone revivir lo que a él le tocó de ese pasado, de modo que la historia se transforma de pronto en arte. Es que para Reyes la historia es una de las bellas artes. Los hechos solos no dicen nada; los hechos empiezan a hablar cuando el historiador los ordena. Asigna gran valor a la exposición; el texto histórico debe ser cambiante como los libros de fantasía. Los grandes tratados históricos que nuestra cultura ha conservado deben su vigencia a los valores estéticos que contienen.

Su concepción del tiempo y de la vida es bergsoniana. Alfonso Reyes es una especie de Heráclito al revés; para él no es la vida la que corre, sino nosotros. Todo está presente e inmóvil. El acontecer nos está esperando, como cada accidente geográfico se aparece al viajero, a medida que éste avanza, pero ya estaba allí antes y seguirá después. Todo es historia contemporánea, todo está allí siempre. Hay algo einsteniano en estas ideas. El hombre va hacia los hechos que ha de vivir, ya preexistentes; se enfrenta a los actos que debe consumar. Es una especie de confluencia entre tiempo y espacio cada instante de nuestra existencia.

Reyes es un poeta proteico. Ya hemos dicho que maneja con igual maestría los géneros más dispares y los procedimientos literarios más diversos. Como lo mismo está cómodo dentro —o lejos— de cualquier escuela, nunca pretendió reformar ni innovar. Al lado de las formas más consagradas por la tradición, nos sorprende a veces con formas totalmente inéditas. Así es su expresión literaria en general; alternan los hermetismos de tipo gongorino con frases al parecer triviales, sin voluntad de alegoría, sin intenciones de eludir la realidad. Si usa procedimientos cultistas, lo hace por virtuosismo, pues no es retorcido sino abierto y franco. Su poesía es, por lo general, transparente; hipérbaton y elipsis serán en él meras formas para mostrar su dominio técnico. *Huellas* según dijimos, es uno de sus mejores libros de poesías.

También contribuyó al teatro y es excelente cuentista, pero, según hemos afirmado, donde Reyes alcanza mayor brillo y personalidad es en el ensayo.

Sin lugar a dudas, la obra más lograda y de mayor aliento, en este aspecto, es *El deslinde* (1944). Parece ser el fruto de su madurez intelectual y de su plenitud como escritor. Allí están condensadas y amplificadas sus experiencias literarias, sus inquietudes de filólogo, sus estudios críticos.

El título ya indica cual es su objetivo, su mira final en el trabajo: trazar los límites de lo puramente literario y estudiarlo en su pureza. Pero al mismo tiempo, es como si tratara de deslindar su propia obra: lo que hizo en el pasado y lo que vendrá en su evolución. Desde hacía unos años, 1939, estaba dedicado por entero a la actividad literaria, retirado de la vida pública. Es por lo tanto, un deslinde en el campo del espíritu, porque va a bucear todos los problemas relacionados con la creación poética, arrumbar viejas preceptivas y poner en vigencia nuevas orientaciones.

Los problemas literarios están enfocados desde distintos ángulos porque no es una obra dogmática ni enteramente personal, sino detallada exposición de teorías, doctrinas, métodos, aplicados hasta el presente. En el mismo asunto hay perspectivas filológicas, estilísticas, nuevos métodos de trabajo; teorías estéticas que implican una filosofía frente al problema literario.

En su teoría literaria hay una filosofía del lenguaje implícita. Es modesta en sus intenciones, como toda obra de gran envergadura. Es una picada abierta en la investigación literaria, una suerte de gran preceptiva moderna, pero al revés; una anti-preceptiva.

Es todo lo contrario de las preceptivas tradicionales, y sin duda ha de quedar como uno de los frutos más felices de las reflexiones literarias de nuestro siglo.

## JOSE VASCONCELOS

Este pensador recientemente desaparecido (*) surgió también con el grupo del Ateneo de México. Aquellos jó-

---

(*) Murió Vasconcelos el 1o. de julio de 1959.

venes rompieron amarras con el pasado y se lanzaron a explorar nuevos rumbos allá por 1910, según se ha dicho. Pertenecieron a esa generación Alfonso Reyes, Pedro Henríquez Ureña, Martín Luis Guzmán, Antonio Caso, Carlos González Peña y Enrique González Martínez, entre otros.

Nació Vasconcelos en Oaxaca, el año 1881. Estudió leyes en México; en su tesis doctoral defendió el positivismo, rindiendo así un último tributo a sus maestros. Sin embargo, a poco de graduarse, pronunció su conferencia "Gabino Barreda y las ideas contemporáneas", que fué la declaración de guerra a la filosofía del siglo XIX. Vasconcelos se incorporó entonces al grupo del Ateneo.

Aquellos jóvenes tenían un programa de estudio y un plan de acción. En el campo de su formación intelectual, volvieron la mirada a los filósofos griegos —especialmente a Platón— y a los alemanes modernos, Nietzsche y Schopenhauer, iniciando en México la tradición espiritualista que rechazaba los rígidos enunciados del positivismo. Empezaba a entusiasmar Bergson con su nueva concepción del espíritu. Se empaparon, además, de todas las literaturas, antiguas y modernas, incluso la española del siglo de oro tan subestimada por los románticos. Los jóvenes del Ateneo, idealistas y ambiciosos, no perdieron de vista la realidad. Cada uno en su campo y a su tiempo, realizaron aquellos ideales esbozados en 1910, año crucial en la historia del México moderno. Los sueños de educación popular fueron cumplidos por Vasconcelos durante su memorable Ministerio de Educación Pública (1921-1924). Se rodeó de los espíritus más valiosos de América y llevó a cabo una tarea gigantesca en favor de la ilustración de las masas. Diego Rivera plasmó en sus cuadros el mejicanismo sustentado por el grupo, como Martín Luis Guzmán en la novela, Manuel Ponce en música y González Martínez en poesía.

Las ideas de Vasconcelos —como las de Lugones en la Argentina— han tenido marchas y contramarchas, pero siempre en busca de la verdad, o de una mejor adecuación entre ideales y realidad y no por inconsistencia en los principios.

Del escepticismo volvió al catolicismo en sus últimos años y este retorno ha conmovido todo su sistema, o mejor dicho, su filosofía, pues en Vasconcelos no hay sistema. Por el contrario, "es un irracionalista" –dice E. Anderson Imbert–, un intuitivo, un sentimental, que por ordenar su propio caos prefiere las simétricas calles del pensar filosófico; si no, sería poeta. Su visión del mundo es lírica y hasta sus tratados más áridos están encendidos de pasión. "En la portada de todo sistema hay siempre algo que nos conmueve y nos exalta", ha dicho él mismo.

En suma, su filosofía es una búsqueda de la verdad moral y de la belleza. Para él hay una conjunción éticoestética en toda vida realizada con plenitud. El hombre se purifica mediante su conducta, pero, como esa conducta es su reacción emocional ante las cosas, adquiere contornos bellos cuando es moralmente noble.

Además de ser uno de los pocos filósofos hispanoamericanos, Vasconcelos es un escritor de cautivante prosa. Algunos de sus relatos bastarían para ubicarlo entre los mejores cuentistas del continente, si no fuera que su obra de tratadista supera en volumen a su obra de narrador. Escribió también teatro y una tetralogía autobiográfica donde los valores artísticos rivalizan con el valor documental y las ideas filosóficas.

Una clasificación provisoria de su obra podría delinearse así, a los fines meramente didácticos que confiesa este trabajo:

1) *Obras filosóficas*:

El monismo estético (1918)
Pitágoras, una teoría del ritmo (1921)
Estética, Tratado de Metafísica
Etica

2) *Obras literarias*:
   Divagaciones literarias (1919)
   Prometeo vencedor (Teatro) (1920)
   La raza cósmica (1925)
   Pesimismo alegre (1931)
   Los robachicos (Teatro) (1946)

3) *Autobiografía*:
   Ulises criollo (1935)
   La tormenta (1936)
   El desastre (1938)
   El proconsulado (1939)

4) *Ensayos*:
   Estudios indostánicos (1922)
   Bolivarismo y Monroísmo
   ¿Qué es la Revolución?
   Sonata mágica
   Indología
   De Robinson a Odiseo

Siendo un filósofo de preferencias ético-estéticas, Vasconcelos se preocupó constantemente por la limpieza en el estilo y por el ajuste perfecto entre las ideas y su expresión. En este sentido hay muchos puntos de contacto con sus contemporáneos del Ateneo, Alfonso Reyes y Pedro Henríquez Ureña, quienes hicieron del oficio literario casi una religión. Por otra parte, la voluntad de estilo, la preocupación por lograr un acento personal y al mismo tiempo universalizar nuestros temas, son tópicos característicos del postmodernismo.

Decía, a este respecto, Vasconcelos: "El estilo eficaz es el que dinámicamente se inserta en el impulso lírico, lo perfecciona y cumple sin restarle energía, sin desviarlo de su sentido profundo".

Una vez más se nos ocurre mencionar coincidencias entre los hombres del postmodernismo mexicano y los escritores del Sud: Ricardo Rojas, Ezequiel Martínez Estrada, Bernardo Canal Feijóo, para no citar sino a los ensayistas. Como ellos, Vasconcelos sintió profundamente el problema del ser americano y su expresión. Como ellos, sus múltiples facetas descompusieron la realidad americana en un arco iris literario.

En ensayos como *La raza cósmica, Indología, Bolivarismo y monroísmo* expuso sus teorías y sus esperanzas en el porvenir de América.

# IV

# EL SUPERREALISMO

Fué la tendencia más vigorosa y congruente después de la Primera Guerra Mundial, de modo que pudo sobrevivir a la Segunda Guerra, cuando todos los otros "ismos" habían ya caído en el olvido. El superrealismo llegó a configurar una escuela, con sus dogmas, sus apóstoles y apóstatas.

El primer manifiesto del superrealismo se publicó en 1924 (*Manifeste du surréalisme,* de André Breton, llamado "el papa del superrealismo", "supremo inquisidor" y otros nombres resonantes). En aquel manifiesto se exaltaba el poder de la imaginación. Por eso dicen algunos que el superrealismo es una nueva forma de romanticismo. También se exalta la virtud de lo maravilloso y sobre todo, la fuerza de la libertad. Esta palabra es para los superrealistas la más importante en el lenguaje del poeta. Libertad absoluta, no sólo de dogmas estéticos y preceptos literarios, sino también en el sentido filosófico. Quieren libertarse del dominio de la lógica; quieren destruir todo vestigio de racionalismo. Breton dice que la imaginación está a punto de conquistas sus derechos. Los pilares sobre los que se asienta la estética superrealista son, pues, *imaginación* y *libertad.*

En cuanto al nombre mismo de la escuela, del cual es responsable el mismo Breton, surgió de la creencia en la conciliación futura del sueño y la realidad; es decir, creencia en una *super-realidad.* Así surge el término.

Es el proceso mental más virgen esta realidad hipostasiada de sueño, sin interferencias de la lógica. En el *Manifeste* se define: "el automatismo psíquico mediante el cual se propone expresar verbalmente, por escrito, o de otra manera, el funcionamiento real del pensamiento".

La expresión de este automatismo es "un dictado del pensamiento en ausencia de toda vigilancia ejercida por la razón, fuera de toda preocupación estética o moral".

Todo hombre puede ser creador, según esto. Tiene solamente que hacer cierto esfuerzo para entrar en situación de *medium,* en una palabra, la *inspiración* de los románticos. Lo que se propone el poeta no es crear belleza, sino ser el intermediario entre esas fuerzas oscuras y los demás hombres. Tenemos así que, como procedimiento, el automatismo psíquico es lo más importante. Hay que seguir los dictados del pensamiento sin trabas racionales. En segundo lugar, no debe haber propósito estético o ético alguno.

Dice el *Manifeste* más adelante: "El superrealismo reposa sobre la creencia en la realidad superior de ciertas formas de asociación desdeñadas hasta hoy". Tiende a destruir definitivamente todos los mecanismos psíquicos y a reemplazarlos en la resolución de los principales problemas de la vida".

Esto, según André Breton. Pero hay otros profetas, con otros puntos de vista. Aragon, por ejemplo, opinaba que el superrealismo era un vicio superior, algo así como una morfinomanía exquisita. Esto es interesante porque muchos escritores superrealistas se nos presentan como cultores de la imagen por la imagen misma. Una imagen sobrepasa o justifica a todo un poema. Ramón Gómez de la Serna, con sus "greguerías", es un ejemplo. Este vicio superrealista se nutre de imágenes. Cada imagen es una representación del universo. Breton, coincidiendo en esto, nota que las imágenes más insólitas brotan de la semivigilia y cuenta que él mismo, en ese estado, una tarde vió que un hombre partido en dos golpeaba la puerta. No podía precisar a qué realidad correspondía esta imagen, pero, haciendo un examen interior de su experiencia, descubrió que alguien pasó por frente a su ventana; él sólo vió la parte superior. La conciencia, descuidada en aquel instante próximo al sueño, no podía reconstruir el hombre y provocó esa representación incongruente.

Otros consiguieron visiones similares por medio de la hipnosis. Freud y su teoría de las asociaciones psíquicas mecánicas son el fermento de la nueva escuela. Los sueños y su análisis cobran importancia, pero sobre todo, las imágenes espontáneas.

Esta revolución intelectual tuvo también su "declaración de los derechos del hombre". Proclamaron los superrealistas el derecho que todo hombre tiene al sueño, al delirio, a la incongruencia y a la locura.

Los modernistas no habían tenido mayores preocupaciones sociales. Es una generación individualista por excelencia.

Liberados, por primera vez, los poetas americanos de las actividades políticas gracias a una organización más o menos firme, a una mejor división del trabajo, a unas cuantas décadas de paz y al bienestar material, pudieron ser egoístas y se olvidaron momentáneamente de sus contemporáneos. Trabajaron su arte sin prisas, viajaron mucho y hasta cultivaron un epicureísmo que, desdichadamente, les duraría muy poco.

Hacia 1920 regresan los problemas humanos y sociales por varios caminos. En primer lugar, hubo una guerra padecida por todo el mundo. En la guerra los hombres son números, partículas de un cuerpo enorme y amorfo: ejército, nación, continente. El individuo no sólo pierde valor en tales circunstancias, sino que desaparece. Además, las doctrinas socialistas que empezaron a ganar adeptos desde mediados del siglo XIX adquieren de pronto una tremenda realidad. Ya no son libros, ya no son teorías: una gran revolución socialista ha ocurrido en Rusia y muchos países, sin haber tenido sangrientas sacudidas, van adaptando sus instituciones a esta nueva concepción del hombre. Los intelectuales de todo el mundo se vuelven atentos hacia esa gran experiencia. Es natural, entonces, que se plantee el dilema de "el arte por el arte" o un arte con proyección social. Poetas y escritores se polarizan hacia uno de estos dos campos. Ya en los últimos modernistas, Santos Chocano por ejemplo, empieza a notarse la inquietud social, reivindicatoria.

Las clases pobres, el indio, los trabajadores de zonas insalubres, inspiran una serie de novelas denominadas tentativamente *indigenistas, del campo, de la tierra,* sociales, en general.

El liberalismo entra en crisis; se revisan todas las instituciones, se critican sistemas, se organizan los gremios obreros, empiezan a funcionar nuevos esquemas. El más afortunado es el del materialismo histórico.

Dentro de este marco se nos aparecen la poesía lírica y la novela, géneros más permeables a las tormentas humanas. Hay escritores como el ecuatoriano Jorge Icaza y el peruano José Carlos Mariátegui, poetas como Pablo Neruda y César Vallejo que refirman su militancia partidaria con sus obras; hay otros que defienden el viejo orden en apasionadas polémicas y otros que se esfuerzan por rescatar los derechos del "yo" individual, dentro de la masa, o fuera de ella.

## PABLO NERUDA

Uno de los espíritus más originales de este período, el poeta Pablo Neruda, ha viajado desde el acendrado individualismo hasta la negación del yo. El romántico y solitario "hondero entusiasta" a va desembocar con los años en la doctrina comunista; a desvanecer su *ego* en la comunidad. Sus últimos cantos —dentro de los límites trazados para este trabajo— rebosan fervor partidario y el poema se vuelve declamación. Sin embargo en *Alturas de Macchu Pichu* y en *Canto general,* volvió a ser el gran poeta de América después de Rubén Darío.

Esta criatura sollozante, temerosa y desolada que escribió *Residencia en la tierra,* se llama Neftalí Ricardo Reyes y nació en Temuco (Chile) en 1904. En su larga carrera literaria –empezó a los diez y seis años– sus libros son como jalones que marcan su evolución.

La primera etapa incluye su libro inicial, *Canción de la fiesta,* de 1921, y *Crepusculario,* de 1923. En 1924 aparecen los *Veinte poemas de amor y una canción desesperada* y en 1926 *Tentativa del hombre infinito,* obras que configuran un segundo momento en la poética de Neruda.

El tercero se inicia con *El hondero entusiasta* (1933) y *Residencia en la tierra* (1935) que incluye poemas desde 1925 a 1935. El cuarto período corresponde a su *Tercera residencia* (1947) y *Canto general* (1950).

En el primer tiempo la línea es modernista y el tono acorde a la tradición poética de nuestro idioma. El lenguaje y las formas estróficas son las de siempre, aunque en *Crepusculario* apuntan rasgos personales. Como es natural, un poeta de tal personalidad no podía permanecer indiferenciado en el coro de un movimiento literario. Hay ya ciertas imágenes temerarias que comienzan a encenderse, quizá por influencias del poeta uruguayo Carlos Sabat Ercasty, o de su compatriota Huidobro, si bien no se puede hablar de imitación. Con todo está comprobado que Sabat Ercasty, a quien Neruda admiraba, ha hecho germinar en cierto modo, la poesía más original de América.

*Veinte poemas de amor*... ya es un librito que se singulariza poderosamente. Todavía sus formas –métrica, estrófica– son tradicionales; el contenido es claro. Es una especie de diario lírico de un hombre enamorado. Estos veinte poemas han sido los más afortunados de toda su obra poética. Se han hecho docenas de ediciones; se los ha leído, elogiado e imitado en todas partes y los discípulos del Neruda de los "veinte poemas" son más numerosos que los de las "residencias". Sólo el *Romancero gitano* de Federico García Lorca puede compararse a este libro por su resonancia en los países de habla española. Las imágenes marinas, las playas, caracolas, gaviotas, la sal, el tiempo de las uvas (madera, siembra, etc.) a que tanto han recurrido los jóvenes poetas de las últimas décadas, son de directa filiación nerudiana.

Sin embargo *Residencia en la tierra* marca la etapa más original, más honda, más genuinamente *Neruda*. Es una poesía larval, eruptiva, volcánica. Aquí el problema crítico no es ya comprender las imágenes (muchas veces es tarea imposible, e inútil), sino buscar de dónde surgen, bucear el alma del poeta. El objeto de una crítica así no es ya la "expresión", esto es, los signos del sujeto, sino el sujeto mismo. Hay que cambiar, pues, el instrumental de nuestra observación.

En la cuarta época el poeta ha penetrado de lleno en la política. Parece extraño que el Neruda introvertido, ensimismado y tímido pueda volcarse en la forma que exige todo ademán político, que es actividad extroversa por excelencia. En la transformación ha de salir perdiendo, forzosamente, la poesía, que era auténtica expresión de su personalidad. Ahora sus versos necesitan persuadir, congregar y como llevan un contenido social, sus versos deben retomar la construcción lógica. Ya no es posible la canción hermética; todo el mundo debe recibir claramente su mensaje. Algunos poemas conservan todavía la riqueza de imágenes y el vigor de las dos primeras "residencias", como "Altura de Macchu Pichu", pero en general, toda la poesía de este cuarto período ha cambiado de tonalidad. Anderson Imbert sintetiza este cambio en una frase: "Porque el poeta se exalta políticamente, el verso se tranquiliza metafóricamente".

La actitud más típica de Neruda —la de su tercer momento— es la de un hombre en absoluta soledad. Puede tener, o no, conexiones con teorías filosóficas agonistas; su conformación psíquica lo predispone, de todos modos, a este tipo de actitudes. Lo cierto es que en su poesía se adivina la presencia de un niño desamparado. Le falta seguridad y por eso ve las cosas sin permanencia, en constante derrota. Todo está transcurriendo; las cosas se van desgastando y al contemplar esta destrucción, ocurre una visión despavorida del tiempo. Por eso en sus poemas hay tanto derrumbe, tanto naufragio, tanto abandono. Toda lucha es inútil. Hasta los instantes más sublimes del amor no son más que esfuerzos inconscientes de esta lucha contra la muerte. El amor mismo es un paso más hacia la muerte. Nos destruímos en cada beso. El tiempo nos va corroyendo como el óxido, como las sales marinas corroen las cosas que el mar se traga.

Amado Alonso dice que no es ésta una concepción del tiempo a lo Heráclito, en que el tiempo es como un arroyo cuyas aguas están siempre renovándose. Para Neruda, nosotros también marchamos entre las cambiantes aguas del tiempo. Estamos atrapados por el tiempo. En *Veinte poemas de amor...* todavía hay algo positivo: el amor. Es una fuerza constructiva, es algo que puede perdurar, pero aun entonces —siendo Neruda un adolescente— se nota que va perdiendo la fe y que pasa gradualmente de la melancolía a la angustia. En *Residencia en la tierra* no hay esperanza; todo lo creado marcha a su propia e inexorable destrucción. El poeta busca la permanencia, pero no la que promete la fe. Lo que quisiera es quedar olvidado en un rincón del tiempo donde no lo alcance la total destrucción.

Por lo general sus poemas parecen incursiones angustiadas en el sombrío paisaje interior. Lo que allí se ve es fragmentario; por eso algunos poemas son meras enumeraciones de cosas apenas entrevistas. Es como si todo fuera una caverna oscura iluminada a ratos por relámpagos. El poeta se apresura a nombrar lo que ve, pero la expresión resulta atropellada porque al primero sigue otro relámpago que muestra otras realidades cuando aun no ha concluído de informarnos sobre la anterior.

A pesar de este procedimiento, nunca falta por completo una tenue armazón intelectual. De otro modo no habría poesía. La poética del sinsentido fracasó entre los espasmos catalépticos del dadá. Al ofrecernos asideros, Neruda nos quiere mostrar el mensaje que trae desde el fondo de su soledad; nos va arrojando cabos para que podamos rescatar los restos de su naufragio. El poeta verdadero quiere ser comprendido, busca el eco humano, la compasión, la solidaridad. Podría afirmarse que en esta aspiración a la respuesta humana reside una de las fuerzas motoras de su poesía. Su temor, su eterno dolor, es el sentimiento de tremenda soledad. Por eso el tema preferido es su yo y al ofrecerlo, en busca de señales solidarias, trata de estructurar ese yo caótico.

Sin embargo le es muy difícil comunicarse. En "Arte poética" nos dice su concepción de la poesía en una serie de metáforas que hablan de su absoluta soledad entre los hombres y de lo difícil que es expresar lo más íntimo de nuestro espíritu.

Otro tema nerudiano, íntimamente ligado a la idea del mundo en derrota, es *el tiempo*. El poeta es un alma, pero incomunicable con las otras almas. El poeta ve que los demás seres se pudren, se van muriendo, y constata desesperado que él también va en el mismo río de destrucción. Toda esta gran marcha hacia la final catástrofe ocurre en el tiempo. El tiempo es como el océano; el hombre es un náufrago. La imagen del naufragio se repite en su poesía. Otras veces el tiempo es una serie de capas superpuestas, como las cebollas, que se resuelve finalmente en la nada. Esta vida como tiempo y del tiempo como carrera ineludible hacia la nada, va haciéndose más acendrada y obsesiva. El proceso es prolongado, gradual. En los *Veinte poemas* ya está presente pero no es motivo de amargura perenne. Podemos decir que la aventura de la exploración interior es una experiencia gozosa en aquellos años. Neruda es un pescador entusiasta que vuelve desde el fondo de su yo trayendo en sus redes la imagen inédita. El poeta vive en la superficie; respira cuando la tristeza amenaza sofocarlo. En *Residencia en la tierra,* en cambio, el poeta parece vivir sumergido en sí mismo, en el fondo, en las tinieblas, como un monstruo marino.

Hay dificultades enormes para comprender a Neruda. Una de ellas es la puntuación. Un poeta hermético clásico —digamos, Góngora— puntúa escrupulosamente. Para Góngora es muy importante que cada trozo gramatical esté perfectamente destacado para que el lector, al desenredar el acertijo, no se pierda. Neruda no se cuida de puntuar; mejor dicho, parece cuidarse de *no* puntuar, como si hubiera un deliberado propósito de oscuridad cuando las frases son demasiado evidentes. Pero, a esta dificultad, salvable con algún esfuerzo, se añaden otras; las sintácticas, por ejemplo. Sus versos son gramaticalmente incompletos, hay una cantidad de oraciones mutiladas. Pero ni esta falta de puntuación ni la sintaxis defectuosa son descuidos del poeta, según se ha dicho. Los puntos y comas que encierran un período producen una interrupción en el ritmo interior que trata de representar. Por eso cuando se da involuntariamente una frase rítmica, ordenada lógicamente, la disfraza con una puntuación que despista momentáneamente. De ahí que el lector debe fijarse bien en los verbos y dónde deberían estar las comas. En cuanto a la sintaxis, no es torpeza del poeta su elocución confusa. Neruda tiene momentos de consumado estilista.

Su falta de integración sintáctica es un elemento estético. Neruda ve el mundo desintegrado y quiere transmitirnos esa visión. En "Débil del alba" hay una clara ubicación del poeta ante ese mundo informe: "Yo lloro entre lo invadido, entre lo confuso (...) cediendo sin rumbo el paso a lo que arriba. (...) Estoy solo entre materias desvencijadas" —dice—, e insiste en que su única misión es transmitir, sin imprimirles nueva forma, tal como ocurren, esas cosas confusas, desvencijadas, que arriban a su soledad.

Neruda es un poeta de nuestro tiempo. Pocos han expresado con tanta dignidad el sentimiento de desastre que angustia al hombre moderno. Han caído viejas deidades. El hombre se ve sin protección, sin puerto seguro, como un náufrago en medio del mar. Cada instante lo acerca a una muerte irremisible y definitiva.

Las tradiciones están rotas. Se vive una incierta epopeya, como en los orígenes del mundo; es el albor de una civilización enteramente nueva. Pero el hombre común no lo advierte y se desespera por las oscuras perspectivas que este mundo le ofrece dentro de los límites temporales de su propia vida individual.

Esas rupturas en la tradición, esa solución violenta de continuidad —aunque aparente— se manifiesta como cataclismo. Se abren grietas en cada muro que se consideraba inconmovible: fe, amor, arte...

El hombre tiene miedo. Quizá la más trágica condición de la vida moderna sea ese clima de *miedo* y *desesperanza.*

El poeta, receptor y transmisor sensible de los sentimientos colectivos, los experimenta con mayor intensidad. Por eso se dice que nadie expresa a su tiempo con tanta fidelidad como los poetas.

Neruda ve el mundo en escombros polvorientos, humeantes, amontonados en indescriptible caos y lo ha expresado por medio de su extraña poesía.

## CESAR VALLEJO

Nació César Vallejo en Santiago de Chuco, población al Norte del Perú en 1892. Era de origen mestizo; el drama de las sangres antagónicas se refleja a menudo en su vida y en su obra. Fué a Lima pero encontró hostil y fría a la capital. Sintió allí, por primera vez, su condición de mestizo como una desventaja; le llamaban "el Cholo Vallejo". No obstante, pudo publicar y rodearse de amigos. Estaba el modernismo en pleno vigor. Darío apasionaba a los jóvenes y por él se leía en América a "los raros" franceses. Vallejo se entusiasmó con Baudelaire y Rimbaud. Por entonces publica su primer libro, *Los heraldos negros* (1918) donde es patente su afición a los poetas simbolistas, a Darío y a Leopoldo Lugones en su época de mayor virtuosismo.

Vuelve a su pueblo y retoma contacto con su propio pasado. Experimenta como nuevos, los afectos hogareños un tanto olvidados durante su residencia capitalina. Se reconcilia con el paisaje agreste, con los habitantes humildes, lejos ya de los seductores "paraísos artificiales" de la capital y del arte mórbido de sus modelos modernistas. De esta época data *Trilce* (1922) donde crece el acento personal. Hay allí poemas dedicados a su padre, a su hermano muerto y a sus primeros amores, especialmente a "la andina y dulce Rita..."

Esta nota intimista y la audacia de sus imágenes lo apartan definitivamente de la generación anterior. Con *Trilce* Vallejo se ubica a la cabeza de los poetas innovadores del Perú.

A raíz de haber participado en una pequeña conspiración pueblerina, sufre unos meses de prisión en Trujillo, prisión injusta –según él– que dejó huellas indelebles en su alma. En 1923, a los treinta años de su edad, se embarca rumbo a Francia un poco resentido de su patria. De este viaje ya no regresaría.

En 1929 fué a Rusia. Su intención era informar al público europeo en una serie de artículos, sobre la realidad soviética. Se propuso ser absolutamente objetivo y para ello no admitió atenciones ni credenciales que pudieran comprometer su independencia. Por aquellos tiempos confesaba no pertenecer a grupo político alguno, y menos al partido comunista. "Ni burgués ni bolchevique", dice; sin embargo, bien pronto su imparcialidad se convierte en adhesión entusiasmada y luego en fe comunista.

Proclamó su fe en *Rusia, 1931*. En aquel año, ya de vuelta en París, cultiva la amistad de muchos intelectuales hispanoamericanos que simpatizaban o trabajaban activamente para el partido, en especial la de su compatriota José Carlos Mariátegui. Pablo Picasso le hizo un retrato.

Su resentimiento contra la realidad política y social del Perú se agudizó; siente hondo fervor revolucionario y expresa que no volverá al Perú "hasta que no quede piedra sobre piedra".

Espera el advenimiento de la revolución que ha de destruir un estado de cosas que él consideraba injusto y retrógrado. Sin embargo, en su poesía no fué un propagandista ni un dogmático. Al contrario, domina en ella la actitud lírica, con ricas vetas psicológicas.

Pocos años después de su viaje a Rusia, pasó a España. La revista *Bolívar* publicó su *Reportaje en Rusia* y conquistó muchos amigos. Su libro *Trilce* fué muy admirado en España; se lo comparó a los grandes poetas del momento, Rafael Alberti, Pablo Neruda, Gerardo Diego. De regreso a Francia, como continuara su prédica de izquierda; fué expulsado. Su ausencia de París fué breve, como otras veces. París era la ciudad donde le gustaba vivir y donde quería morir.

En 1937 —en plena guerra civil—, Vallejo vuelve a España. Al verla desangrarse lo sacude un gran dolor. Siente a España con todo su ser, como si se hubiera reencontrado a sí mismo, como si se hubiera liberado de la parte no española de su ser, como si al fin concluyera el drama de su sangre mestiza.

Este aire de llanto filial tiene *España, aparta de mí ese cáliz* (1937-38) serie de poemas sobre el horror de la guerra civil, contemporáneos de *España en el corazón* del otro poeta comunista hispanoamericano, Pablo Neruda.

Volvió a Francia. Su salud empezaba a declinar. Escribe unos *Poemas humanos,* que no alcanzó a publicar en vida. El 15 de abril de 1938 murió César Vallejo en París. Louis Aragon —el poeta superrealista francés— pronunció una oración fúnebre en su sepelio.

Sus *Poesías completas* publicadas en Buenos Aires el año 1949 abarcan los siguientes títulos:

*Los heraldos negros,* 1918
*Trilce,* 1922
*Escalas melografiadas,* 1922 (?)
*Poemas humanos,* 1923-1938 (publicado por primera vez en 1939)
*España, aparta de mí ese cáliz,* 1937-1938.

Sus obras en prosa fuera de los artículos periodísticos informativos o de acción política, son *Fabla salvaje* (1923) y una novela *Tungsteno* (1931).

Hemos dicho que en *Trilce* hay una rebelión poética que anarquiza hasta la ortografía. Emplea arbitrariamente las mayúsculas, reduplica letras sin necesidad. La sintaxis se resiente fuertemente, también, pero no es estrictamente un ultraísta o un creacionista. En medio del desorden marchan fijos sus temas entrañables: erotismo, sentimientos hogareños y sobre todo su solidaridad con los humildes. Hay en Vallejo una especie de sentimiento de culpa; quiere compartir a toda costa la desgracia general. Esta idea se manifiesta como una gran piedad por todos los seres y lo mismo que Neruda, hay en el poeta peruano una visión desconsolada de la humanidad. En *España, aparta de mí ese cáliz* la compasión y la solidaridad se concentra en los humildes, en *el pueblo.* "Todo acto o voz genial viene del pueblo / y va hacia él".

## MIGUEL ANGEL ASTURIAS

Nació Miguel Angel Asturias en Guatemala en 1889. Como la mayoría de los novelistas de este período, se inició escribiendo poesía. A lo largo de sus versos se pueden observar sucesivos intereses estéticos. De varios libros publicados en ediciones privadas hizo él mismo una antología titulada *Poesía. Sien de alondra,* editada en 1949. Hay en esta selección poemas aldeanos, folklóricos, de raíz popular casi siempre, sin mayores concomitancias con las tendencias literarias contemporáneas.

Su primer obra en prosa fué *Leyendas de Guatemala* (1930). Para entonces Asturias se había licenciado en Leyes en la Universidad de Guatemala y viajado a Francia, donde estudió largamente los antiguos mitos hispanoamericanos. Trabó amistad en París con algunos escritores y poetas que probablemente dejaron su influencia, entre ellos Francis de Miomandre y Paul Valéry. Asturias es un admirador de este último y devoto comentador de su poesía. Posteriormente Asturias se trasladó a la Argentina. Actualmente vive en Buenos Aires, escribiendo siempre. Pero ninguna de sus obras posteriores ha tenido la repercusión que alcanzó *El Señor Presidente,* su primera novela, aparecida en 1948. Este libro despertó un extraordinario interés en nuestros países, tanto en la crítica como en el público y pronto se tradujo a otros idiomas. La razón de tal aceptación residía principalmente en sus novedosos procedimientos narrativos y en la amarga realidad novelada.

Cuando salió a luz la primera edición de *El Señor Presidente* dijo Gabriela Mistral: "Yo no sé de dónde sale esta novela única, escrita con la facilidad del aliento y del andar de la sangre por el cuerpo".

Al año siguiente Asturias publicaba *Hombres de maíz* (1949) y *Viento fuerte* en 1951. Su última novela —hasta donde llega nuestra información— es *El papa verde.*

Hay en estos libros una intención sociológica, elementos folklóricos no estilizados, demasiados indigenismos en el diálogo, todo lo cual obstaculiza la lectura y desvía el interés hacia otros campos. Por eso decimos que *El Señor Presidente* sigue siendo la obra maestra de este escritor, no sólo porque su ritmo, su composición son más novelísticos, sino porque allí el estilo se ajusta más estrechamente a la materia narrada. La novela no es realista. No se ubica en el espacio y las indicaciones temporales son arbitrarias.

"Es una novela esperpéntica", dice E. Anderson Imbert, y en efecto, el horror de algunas escenas es realmente goyesco. Hay una acumulación de lacras, vicios y maldades como en una pesadilla. Hay una intención antiestética, un premeditado afán de presentarnos un lado grotesco, absurdo, inhumano de la realidad novelada.

Parece oponerse a la idea de que una realidad tan sórdida pueda transfigurarse artísticamente y la castiga duramente mientras la recrea, como un Rodin que modelara la arcilla a puñetazos.

Es curioso que en presencia de una obra de arte inusitada, la crítica no tenga palabras definitorias y deba siempre recurrir a las negaciones. Ya se ha dicho que *El Señor Presidente* no es una novela realista. Tampoco es un libelo político, ni un informe documental sobre las dictaduras constitucionales; no es ensayo sociológico. Es una de esas obras incalificables en la historia del arte, que fluctúan entre la irrealidad del sueño y las brutales realidades de albañal. Este dramatismo original es común, por otra parte, en la literatura española: arte de contradicciones, arte peculiar entre lo sublime y lo inmundo, arte barroco. Podemos definir la novela de Asturias, con cierto margen de seguridad, diciendo que es una *novela superrealista* y así se explica que la hayamos desglosado del capítulo especial sobre la novela contemporánea.

Decíamos que esta novela continúa una tradición muy española; efectivamente, hay algo de Quevedo en Asturias. Como aquél, uno no sabe si Asturias se burla o sufre con lo que describe; como él retuerce el idioma hasta arrancarle sonidos y significados increíbles. Lo mismo que él no rechaza ningún recurso idiomático por innoble que parezca. También los tipos humanos que trajinan por esta novela son quevedescos, o quizá velazqueños, aunque no podamos señalar un realismo a lo Velázquez, ni conexiones directas con la picaresca, sino más bien una transfiguración superrealista de la materia tratada. Hampones, mendigos, borrachos, rameras, forman la carne humana —o infrahumana— de esta novela.

Sólo hay tres o cuatro personajes de cierta nobleza que sucumben a la maldad general: son víctimas inmoladas a la prepotencia, a la arbitrariedad, la chabacanería y las pasiones elementales del régimen que impregna todo el país (o toda la novela, más bien) con su fetidez.

Todos los factores: ideas, acciones, sentimientos, personajes, descripción y técnica narrativa, están descargados sobre el lenguaje.

En este sentido *El Señor Presidente* es una estupenda creación verbal, de modo que la crítica debe inclinarse (como en Neruda) hacia las formas de expresión preponderantemente. La lengua está al servicio de la novela. El libro relata una serie de peripecias desgraciadas, recortadas en cualquier momento de una dictadura hispanoamericana cualquiera. Los principales acontecimientos están apretujados en tres días: 21, 22 y 23 de abril (primera parte). Los demás son una cadena de derivaciones y consecuencias en que se va envolviendo a mucha gente. La tercera parte es una larga y siniestra enumeración de los métodos de represión, venganzas y atrocidades del régimen que concluyen en la novela, pero que continúan en la realidad por "semanas, meses, años", sin esperanzas de liberación.

Las gentes que vemos, además de los depravados servidores del *Señor Presidente,* son burgueses temerosos, hombres mezquinos, sin heroísmo, que tratan de vivir oscuramente para no despertar la curiosidad oficial, o sacerdotes que se afligen tras las ventanas, pero que, a plena luz, bendicen y glorifican al dictador. Por este camino, si se nos exigiera una suma ottal, una rendición de cuentas del contenido neto de la novela, releeríamos el primer capítulo, pues allí está dada toda la atmósfera y tendidos todos los hilos argumentales. Se llama "En el Portal del Señor". Por ahí nos asomamos a esta ciudad centroamericana (algunos indicios lingüísticos nos llevan a sospechar que transcurra en Centro América). El *Señor Presidente* es uno de tantos tiranuelos. Asturias se rebela contra este sistema tan nuestro de entronizar ídolos y mantenerlos en el poder de por vida. En regímenes como éste los pueblos se van adormeciendo, insensibles ya a la vida republicana, sin prácticas cívicas por toda una generación. El resultado es una obsecuencia sin límites, el temor de caer en desgracia, las delaciones y una sorda oposición, desde muy abajo, que nunca llega a tener éxito porque el *Señor Presidente* tiene ojos y oídos en todas partes; frustra los planes de subversión en el momento que quiere, y aun le sirven para deshacerse de algún colaborador demasiado listo. Para mostrarnos artísticamente esta realidad, Asturias nos mete en la capital por el Portal del Señor: una recova donde pasan la noche docenas de mendigos, ciegos y rateros, todo roña y bestialidad. Esta es la primera visión de la ciudad. Es la oración y las campanas están sonando mientras se congregan los personajes. El autor no lo dice; simplemente se abre el capítulo con los hondos tañidos de las palabras: "alumbra lumbre de alumbre, Luzbel de piedralumbre, etc. . . ." A su conjuro van llegando los pordioseros hasta formar un cuadro digno de Velázquez. Cada uno tiene una tara, un hábito, un vicio horrendo. La prosa se torna apocalíptica: perros flacos, carne descompuesta cubierta de moscas, basuras, malos olores. Hasta en el relato se quiebra el idioma en mueca estremecedora: "en la car car car car cajada del aire".

Miguel Angel Asturias posee una extraordinaria agilidad idiomática. Se asimila fonográficamente al habla individual de sus personajes. Entre paréntesis, recuerda un poco a Marcel Proust por su oído y su memoria altamente impresionables. A Proust o a James Joyce. Echa mano a sintaxis, entonación y hasta manipuleos tipográficos para reproducir el habla viva, no sólo en sus vocablos, sino en su acento y su ritmo. Además de representar la "forma interna" del lenguaje de cada individuo, con sus peculiaridades de sexo, del vicio o del miedo, también hace desfilar *imágenes oníricas* y de semivigilia con la misma precisión de Pablo Neruda y *asociaciones libres* propias de los estados anímicos de gran conmoción. Hay hasta una *ronda de objetos inanimados.* Camila llama desesperada a la casa de sus tíos; se despiertan los vecinos, los perros, hasta los muebles y los criados, pero nadie se atreve a abrir. "Cada casa tiene su puertambor para llamar a la gente que *la vive* y que cuando está encerrada es como si la viviera muerta . . . n tán de la casa . . . n puerta tan de la casa . . . El agua de la pila se torna toda ojos cuando oye sonar el puertambor . . ." ( . . . ) "Las cacerolas caracoleando, los floreros con paso de lana, las palanganas ¡palangán! ¡palangán!, los platos con tos de china, las tazas, los cubiertos regados como una risa de plata alemana . . ."

. . . Y el protector de Camila, que sabe que no abrirán, tiene un torbellino de emociones: "¡Si pudiera meterme bajo sus párpados y remover las aguas de sus ojos . . . misericordiosos y después de este destierro . . . en sus pupilas color de alitas de esperanza . . . nuestra, Dios te salve a ti llamamos los desterrados . . .

"Vivir es un crimen . . . de cada día . . . cuando se ama . . . dádnoslo hoy, Señor . . ."

Todos estos procedimientos contribuyen a crear la atmósfera alucinada y llena de terror, insomnio, falta de lógica en que se desenvuelve el relato. Recurre a ellos cada vez que hay escenas de frenesí o delirio: la persecución de *el Pelele,* la víspera de la huída del general Canales, el desamparo de Camila y la desesperanza de Cara de Angel sepultado vivo en la mazmorra donde termina sus días.

Es interesante observar que Asturias emplea, lo mismo que los pintores y músicos de postguerra (1914-1918) figuras clownescas, como queriéndonos mostrar que los hombres no son sino muñecos en el mundo moderno; juguetes de la suerte, o de otro poder que escapa a su control. El hombre títere, encarnado por Chaplin en el cine, es ridículo, pero inspira compasión. En la novela que comentamos, el personaje que desencadena todas las desgracias, o lo que es lo mismo, el personaje de mayor importancia, es un idiota; su nombre es *Pelele*. Su intervención en los hechos posteriores es ínfima; su papel es completamente casual. No hay en él voluntad ni raciocinio. Las circunstancias lo conducen ciegamente. Después de su crimen involuntario, muchos caracteres empiezan a mostrársenos como marionetas. Aparece, justamente, un titiritero, cuyo nombre, Don Benjamín, al aparearse al nombre que en el barrio le han dado a su mujer —Doña Venjamón— nos da un dúo más de muñecos. Sus ademanes y sus diálogos parecen extraídos de un *guignol*. También son titiritescos los tíos de Camila y *la* Masacuata, la fondera. El mayor Farfán tiene el nombre y la conducta de un fantoche, que se torna siniestro al final. Cara de Angel también parece el muñeco que en los retablos tiene el papel de salvador y el mismo *Señor Presidente,* tal vez precisamente por ser el titiritero mayor, es un ridículo muñeco tembloroso cuando se despoja de su terrible máscara de tirano. En un acto de desagravio por un atentado anterior, cree sufrir un nuevo ataque terrorista al oir un estruendo en pleno palacio. Pierde el color y se refugia acobardado. El estruendo era sólo un tambor que rodó escaleras abajo.

Hay en Asturias una gran riqueza metafórica, mayor que en su poesía. En esto también se aproxima a los demás postmodernistas, en especial, a los cultores de la imagen en libertad. Cada pequeño tramo del relato está lleno de imágenes y comparaciones, o mejor dicho, de visiones. No es un *culterano;* sus procedimientos no son artificiosos, sino que *ve* las cosas metafóricamente. De ahí que verbos y adjetivos se convierten casi siempre en elementos poéticos —creativos—, y no sean meros portadores de significación.

Sus metáforas siguen, por lo general, los caminos tradicionales: "la ciudad, regadita como caspa en la campiña"; "los perros sacudían las orejas como aldabas"; "las botellas parecían llamitas de colores en los estantes". Pero a veces la visión se abrevia; la imagen es ya síntesis: "la sanguaza del amanecer", "nubes de primera comunión", o los términos se aproximan aun más dándonos una imagen sincrética donde ya no hacen falta los nexos gramaticales: "bostezo y bostezo las pilas". "Distancia. Enjabonamiento azul. Arboles. Nubes, cosquilleo de trinos".

Como se ve, no todo es horror y fealdad. En esta presunta anti-estética hay también instantes líricos en que el espíritu descansa. El mismo autor parece refugiarse en estas pequeñas islas de belleza, en compensación por tanta fealdad y amargura. En estos instantes, el paisaje asume carácter poético las más de las veces.

> "Los cenzontles se daban el pico. Dos onzas de plumas y un sinfín de trinos. Las ovejas se entretenían en lamer las crías. ¡Qué sensación tan completa de bienestar de domingo daba aquel ir y venir de la lengua materna por el cuerpo del recental que entremoría los ojos pestañosos al sentir la caricia! Los potrillos correteaban en pos de las yeguas de mirada húmeda. Los terneros mugían con las fauces babeantes de dicha junto a las ubres llenas".

Es como si la naturaleza paliara un poco la miseria humana o fuera inocente de lo que acontece a los hombres. Asturias es un poeta eminentemente visual. Las imágenes son, de preferencia, plásticas. Lo visual ocupa el primer lugar; le siguen lo auditivo y lo táctil en su escala de percepción sensorial.

En conclusión, en *El Señor Presidente* hay abusos de truculencia en el afán de dar ambiente apropiado a las situaciones. Ratas muertas, gusanos, trapos, esqueletos de paraguas, vidrios rotos, perros quebrados, vómitos y gargajos se apiñan cada vez que sopla el horror por las páginas del libro. Hay visiones superrealistas en todo el libro, como si fuera un Neruda en prosa. "Caballos huracanados", "estornudos de las locomotoras calientes", y otras imágenes parecidas, se presentan como símbolos de algo fatídico, temible, inexorable. Balanceando las pesadillas, hay remansos —y no pocos— donde la fantasía poética nos ofrece más de una página realmente antológica. Es menester destacarlo pues por lo común se lee a Asturias con ánimo predispuesto al asco, a la náusea y al horror.

*El Señor Presidente* es una de las pocas novelas hispanoamericanas donde hay un permanente afán de creación, aun en el sentido negativo apuntado más arriba. Hasta cuando se desnuda la voluntad de estilo al revés, hacia lo anti-estético, hacia el esperpento literario.

Este autor no se distrae fácilmente. La lengua está en constante tensión expresiva. Está hondamente arraigada en la tradición hispánica, en especial, conceptista a lo Quevedo, aunque una primera lectura parezca indicar lo contrario. A pesar de los procedimientos insólitos es una novela perfectamente accesible a todo público. Esto indica que el autor acertó en su construcción, pues no hizo arte hermético —como no es hermético Quevedo— que es tan azaroso en la novela.

Es una novela que ha alcanzado ya varias ediciones, signo que habla del interés del lector común; ha sido traducida a varios idiomas, a pesar de las dificultades formales.

Finalmente, bueno es reconocer, como lo hizo Gabriela Mistral, que esta novela es un acto de contrición americana. Nuestra novelística es como el espejo en el cuento de Blanca Nieves. Por mucho tiempo nos ha estado repitiendo la belleza, la soberbia y la grandeza de nuestra América, pero un día nos devuelve la verdadera imagen y nos espanta la brutal sinceridad con que nos enseña nuestra verdad. *El Señor Presidente* es esta última faz del espejo hispanoamericano.

# V

# LA NOVELISTICA

## MARIANO AZUELA

Como Mariano Azuela es el escritor de la Revolución Mexicana por excelencia, es conveniente decir unas cuantas palabras acerca de la Revolución misma. En primer lugar, fué una revolución de verdad. Trajo consigo un cambio total en la estructura económica y social del país, y por varios años, los mexicanos lucharon en una dolorosa guerra civil.

Todas estas circunstancias suscitaron una extraordinaria literatura que se tradujo en novelas, crónicas, teatro y hasta una forma especial de poesía popular que contiene caracteres de épica.

Los ideales revolucionarios no siempre coinciden, de modo que se dan contradicciones muy grandes. Los hombres de ideas se desilusionaron porque los principios se desvirtuaban y provocaban el caos. Los escritores que comentaron los sucesos fueron realistas. Documentaban episodios importantes en la evolución del país. Entre estos escritores se destaca especialmente Azuela, el primero que advierte los desencuentros entre los ideales y la realidad. Sus escritos más parecen alegatos contrarrevolucionarios porque insiste constantemente en la barbarie e inutilidad de la lucha.

La Revolución Mexicana ha tenido mucho de epopeya en el sentido originario de conmoción total. Fué el movimiento de un pueblo entero en busca de su destino y, como todo movimiento de grandes masas, como toda fuerza ciega, a veces coincidió con la Revolución teórica y otras no. Tal vez los que dirigían la guerra sabían adonde iban, pero el pueblo mexicano se lanzó a destruir un orden caduco; así que en esta salida del pueblo hacia la vida política del país, los intereses personales, las traiciones, el caciquismo, propios de las luchas civiles, se mostraron en toda su crudeza. El indio, el mestizo, el campesino, ensoberbecidos por la fuerza que les daba el número, asolaron y mataron sin piedad. Poblaciones enteras fueron evacuadas huyendo del centro de la guerra, pero la Revolución fué encendiendo todos los rincones del país. No dejó nada sin destruir o cambiar. Cada caudillo, que se nombraba a sí mismo "general", era la ley indiscutida en su zona. Representaba al estado en sus poderes, ejercía la justicia sin vacilaciones y en el mismo campo; a veces acuñaba moneda, aislando regiones enteras dentro del país. Cada hombre era un soldado. Confiaba en su fusil y en su cinturón de balas. Ejercía su voluntad donde llegaba.

Naturalmente, con tal estado de cosas, el país entró en el caos económico. Faltaba lo esencial; reinaba la rapiña. Como la clase media, poseedora de bienes, se veía amenazada de muerte y sin resguardos, abandonaba todo en evacuaciones súbitas. Los invasores se apoderaban entonces de las casas, los muebles, las joyas, los animales, que sus dueños dejaban en su apresurada fuga.

Esto se hizo natural y como era muy posible que la muerte sorprendiera al soldado cualquier día, éste prefería gozar cada instante mientras estaba vivo. Se entregaba, pues, al desenfreno del alcohol y del saqueo.

De esta época datan algunos rasgos que se tienen en el extranjero por típicamente mexicanos: la bravuconería, el disparo pronto e inmotivado de sus revólveres, y muchos elementos de su folklore, en especial los corridos. El más famoso, "Adelita", fué incluído por Azuela al final de su novela *Los de abajo*.

Nació Mariano Azuela en Lagos de Moreno (México) en 1873. Al triunfar la Revolución del 10 fué jefe político de su pueblo y por poco tiempo, también fué miembro de una especie de Consejo de Educación provincial. Esto ocurrió en los cortos meses de gobierno "maderista". Pero sobrevino un alzamiento en el seno mismo de la revolución: el general Victoriano Huerta planteó la escisión. De nuevo empezó la lucha. Azuela fué médico militar —se había recibido poco antes en Guadalajara— de la llamada División del Norte, en sus campañas contra las fuerzas de Victoriano Huerta. Por esos tiempos surge otro caudillo: Venustiano Carranza. Ante los triunfos de Carranza, Azuela tuvo que huir y se refugió en El Paso, ciudad limítrofe entre México y el estado de Texas. Allí, en el sector estadounidense, se publicaban los panfletos mexicanos de una y otra facción. Terminada la lucha, Azuela volvió a la ciudad de México pero no intervino más en política.

La vida volvió poco a poco a sus cauces normales. Establecido en los suburbios de la capital, el médico Azuela se entregó de lleno a su profesión y a escribir sus novelas, aparte de algunos tanteos en el teatro.

Su primera novela data de 1896 y se llamó *María Luisa*. Escribió *Los de abajo* mientras se encontraba en El Paso y se publicó por entregas. Se dice que fué como un desahogo frente a la frustración de sus ideales revolucionarios. Le sirvió, además, para proveer a sus necesidades mientras permaneció allí, pues no tenía otro trabajo. Se editó en libro en 1916. A pesar de este nacimiento un tanto fortuito, *Los de abajo* es una obra perfectamente lograda. Azuela es un escritor de mentalidad clara y expresión precisa; a veces demasiado escueta, rasgo éste que confiere a su estilo una tensión dramática extraordinaria.

La sucesión de hechos también sale ganando, pues se desenvuelve directamente, en forma casi cinematográfica. No hay pintura de caracteres, no hay intención de presentar tipos psicológicos, aunque la Revolución los dió en abundancia: Pancho Villa, Francisco Madero, Zapata, Obregón, etc. Pero la atención de Azuela no está dirigida a los jefes, sino al pueblo, autor directo y real de la epopeya; al pueblo indiferenciado, principal personaje de este drama, a "los de abajo".

Desfilan por el libro muchos hombres y mujeres que apenas tienen nombre; a veces sólo un apodo, pero todos son nítidamente mexicanos; hasta se puede apreciar su acento cuando hablan. Se ven los hombres étnicamente diferenciados mediante un rápido trazo impresionista: un bigote, unos pómulos salientes. Pero estos pequeños trazos son objetivos y claros. Quizá la profesión de médico lo dotó de esa singular agudeza en la observación. Los hombres son, por lo general, de anchos ojos negros, bigotes caídos, casi lampiños, piel morena oscura que brilla cada vez que Azuela nos presenta uno, pero no se los conoce mayormente por dentro. A veces hay gestos breves, o palabras que hablan de crueldad, de heroísmo primitivo, de pasiones fuertes o torpes alegrías, pero nada más que lo imprescindible.

La acción también está registrada con un control perfecto. Tal vez el mismo hecho de haber sido un folletín contribuyera a redondear cada capítulo, y como hay mucho que contar, los relatos se comprimen hasta lo esencial. Esto le da una gran plasticidad. Se puede seguir a los hombres en su marcha; se pueden descubrir sus escondites. Por eso fué fácil también llevar esta novela al teatro. El mismo Azuela hizo la adaptación para la escena. Todo es presente y hay muchísimo diálogo. Hasta las escenas estaban dadas ya; el elemento superfluo es mínimo si se quiere trasladar *Los de abajo* al teatro, o al cine.

Azuela no exalta a la Revolución en sí, como se ha dicho. Se fija en lo que el pueblo hace y piensa, y el pueblo sabe poco sobre la Revolución. Desde el principio hay un sabor de desencanto por las derivaciones que va teniendo la Revolución, sus nuevos giros, sus desmanes. Algunos vieron en *Los de abajo* una novela de la contrarrevolución. Otros dicen que hay mucha influencia del naturalismo francés, pero dadas las circunstancias de la novela, no hace falta la imitación. Después de *Los de abajo* con una conciencia de escritor más despierta, se deja influir Azuela por las nuevas tendencias y empieza a pulsar otras cuerdas, sobre todo en *La malhora* (1916), donde introduce monólogos incomprensibles y expresiones exóticas. Pero se recuperó pronto. Sus novelas posteriores vuelven a tener el vigor y la llaneza de *Los de abajo*. En sus últimas obras hay mucha tesis: alegatos, discusión de ideas, crítica social, pero carecen ya de la eficacia de aquélla. Aparentemente, el hombre Azuela no se adaptó a las nuevas instituciones y siguió viviendo en el pasado revolucionario, pues nada relató tan bien como los episodios ocurridos en esos años.

El resto de sus obras incluye *Los caciques* y *Las moscas,* que forman trilogía con *Los de abajo; Los fracasados* (1908); *Mala hierba* (1909); *Las tribulaciones de una familia decente; Andrés Pérez, maderista* (1911); *Sin amor* y *La luciérnaga* (1932); *Pedro Moreno, el insurgente* (1933); *El camarada Pantoja* (1937); *Esa sangre* y *Avanzada* (1940); *La mujer domada* (1946); *Sendas perdidas* (1949), *Marcela, La maldición* y otras.

Murió Azuela en 1952.

## LOS DE ABAJO: Valores estéticos de una novela

Esta novela ha sido traducida a diversos idiomas: francés, inglés, alemán, checo, japonés, portugués, yiddish. Las novelas hispanoamericanas de este siglo, especialmente las novelas sociales e indigenistas han tenido esa suerte porque hablan de las reivindicaciones del hombre americano y al hacerlo, intencionalmente o no, se pisa terreno abonado en casi todo el mundo actual: el de la revolución social y el de la lucha de clases.

*Los de abajo,* dentro de esa literatura social, es un poco diferente porque no hay intención social directa. Claro está que no se puede separar lo puramente estético de lo social, ya que el autor tiene su propia subjetividad inmersa en los hechos y reacciona frente a ellos de un modo determinado. El valor de una obra reside en lo que el artista logra realizar partiendo de su contorno histórico. En toda obra lograda el autor ha conseguido unidad, es decir, se ha trazado claramente una meta y la ha alcanzado exitosamente. Una obra así nos satisface porque es como abrir una ventana por la que vemos claro un proceso, un fenómeno, un conflicto. De ahí que el artista tienda a darle unidad y universalidad a su visión de las cosas. Si por una parte consideramos sólo los valores estéticos, no dejamos de ver la posición humana del autor frente a lo que narra. Pero, en cuanto obra de arte, nos interesa el logro artístico y no las ideas expresadas allí. Este es el caso de *Los de abajo*. Azuela participó en las luchas de la Revolución Mexicana. La obra es documento de un proceso histórico. Por eso tuvo rápida difusión fuera de nuestro idioma. Pero por otro lado, es una obra artística muy importante en idioma castellano. Y éste es el aspecto que nos interesa.

La novela está dividida en tres partes. La primera –la más extensa– está destinada a lanzar al camino a los personajes. El principal, Demetrio Macías, es un caudillejo revolucionario que entra en la pelea casi por azar. Su campaña, al principio, no tiene sentido: sólo busca una venganza personal. Más tarde se hace lo bastante fuerte como para ser tenido en cuenta por los jefes de la Revolución. Andando las cosas, se identifica con los "maderistas", también en forma un tanto fortuita: él lucha contra los "federales" porque le quemaron la casa; para su sorpresa, descubre que quienes luchan contra los federales son los partidarios de Madero.

Con el tiempo se convierte en mayor, coronel, y finalmente en *general*.

La segunda parte se desarrolla en un plano que le permite sentirse igual a los generales de carrera que dirigen la guerra, pero revela, al mismo tiempo su inestabilidad emocional, su debilidad interna, porque no tiene claro el objeto de su lucha. La tercera parte es la más corta. De los jefes revolucionarios, muchos han muerto; otros, derrotados, han huído del país. Empiezan las desconfianzas, los recelos. "Un día, cualquier general se hará cargo del gobierno y nos despedirá. Sólo ellos tendrán honores; nosotros no tendremos nada".

Como él ya es general, se marea un poco al ver que las cosas se desarrollan en una órbita de intereses más amplios y más sutiles. No puede manejarse con la astucia de los otros. Lo traicionan, pero sigue luchando, tercamente obstinado en su destino de soldado. La esencia de la novela —o mejor, la síntesis—, está en el Capítulo VI, de la Tercera Parte. Demetrio Macías se encuentra con su mujer al cabo de dos años largos de separación. Con imágenes, y no con teorías, están dados los datos que nos permiten conocer el punto de vista de Azuela ante la Revolución. El hombre común entró en la guerra por causas que no tienen nada que ver con los ideales. Cada uno tuvo sus propias razones. Pero, una vez adentro, siguen obrando estos hombres por inercia, como un proyectil, sobre todo cuando al fin de esos dos años no se alcanzó ningún resultado.

En el Capítulo VI están tres personajes solos: Demetrio, la mujer y el hijo. Con estos tres personajes humanos y una naturaleza que es testigo simbólico de la escena, nos ofrece una secuencia dramática de primer orden. No hay presentación lógica, sino por medio de imágenes que crean una visión total y exacta de las cosas. El paisaje y la atmósfera contribuyen a subrayar el relato. Los truenos, el chaparrón, las palmeras que se inclinan al soplo del viento, son parte integrante del episodio, lo mismo que el cielo claro que se abre al final.

La entrevista es en la sierra. El hijo no conoce al padre; la madre, que quiere conservar a su lado al esposo ("¡Ora sí, bendito sea Dios, que ya veniste! ...") pregunta por qué pelea. Demetrio responde arrojando una piedra barranca abajo mientras le dice: "¿Ves cómo ya no se para?"

*Los personajes.* No son muchos, ni psicológicamente importantes, pero están perfectamente delineados y son reales. Se los ve actuar con toda la humanidad e individualidad que el autor no nos quiso decir. Demetrio es uno de los tantos jefes anónimos de la Revolución. Ya hemos visto por qué se lanza a la lucha. Se erige en caudillo por su valor personal y por su ascendiente entre los hombres más simples que él, y no porque encarne una idea. Cuando un personaje de la ciudad –Cervantes– buscando congraciarse con este guerrero bárbaro, le dice que él también lucha por la misma causa, Macías le pregunta: "¿Pos cuál causa defendemos nosotros?, . . ."

El segundo en importancia es este Luis Cervantes, estudiante de medicina y periodista por vocación. Su formación es deficiente pero cree tener ideas. Pretende ser el cerebro de la insurgencia en aquellas montañas, pero pronto se da cuenta de que Macías es sólo un soldado. Le propone que salga de las sierras y se una a los altos jefes y para adularlo, después de cada combate exitoso, lo nombra con un grado más. No actúa desinteresadamente, ni trata de enaltecer las acciones de Macías insuflándole su pensamiento. Tiene sus propias ambiciones, y al fin, es el primero en desertar. Cerebro frío y calculador. Hay una indiecita, Camila, que se enamora de él. Sin embargo la rechaza y trata de arrojarla en brazos de Macías en un acto más de obsecuencia. Cuando descubre unas joyas, al saquear un pueblo, ofrece la mitad al jefe, pero como a Macías no le interesa el dinero, no las acepta. Finalmente Cervantes se gana la amistad de los más rudos. Uno de ellos es Venancio, a quien engatuza hablándole de su profesión futura y sus perspectivas de enriquecerse. Cree Venancio en las patrañas de Cervantes. Tiene la ilusión de convertirse en médico cuando consiga suficiente dinero para comprar el título. Al escaparse a El Paso, Cervantes envía una carta a Venancio; lo más sórdido y cruel de este personaje se manifiesta en esta última burla que hace del crédulo soldado.

Alberto Solís es el portavoz de Azuela. Es un revolucionario de convicción. Ha hecho campañas periodísticas. Su desconsuelo y cansancio son los de un hombre que ha luchado con todo su corazón por una causa. Está desilusionado. La guerra ya no tiene sentido para él. Muere en forma completamente gratuita, después de una refriega, víctima de una bala perdida.

Anastasio Montáñez es un campesino apegado a la tierra; leal y muy valiente. No es el asesino inconsciente que hay en Pancracio. Es íntegro, con todas las virtudes campesinas. No se lo ve borracho ni mata porque sí.

El Güero Margarito es el bravucón mexicano. Goza de enorme prestigio entre los matones, ex-presidiarios y mujeres de mal vivir. Hace gala de un coraje temible; realiza numerosos desmanes y el autor lo castiga haciéndolo suicidarse "de puro coraje".

Codorniz y el Manteca son asesinos vulgares, sin la grandeza de ánimo del Güero Margarito. Gozan en el combate por la muerte y la sangre derramadas.

Al final de la novela aparece Balderrama. Es como si Azuela notase la falta de los personajes que se han ido quedando en el camino e incorporase a otros para reemplazarlos. Balderrama es un cantor, un filósofo popular. Tiene la virtud de hacer reflexionar a Demetrio. Hay en él algo de juglar y algo de sabio antiguo; desprecia las ciudades y se llena de doctrina en la misma naturaleza.

Los personajes femeninos son escasos, por supuesto. En el campamento sólo hay algunas indias y mestizas que cocinan, lavan, curan heridos. La Pintada, hecha a sangre y fuego, se aparece con pistola y cartuchera. Camila es el regalo que Cervantes reserva para el jefe Macías. Ambas son del pueblo, pero en Camila hay una ternura que nos llega.

La mujer de Demetrio está esfumada. Es *la mujer*; no tiene nombre. Tiene algo de genérico y universal. Sumisa, leal, aferrada a la tierra, a sus costumbres, a su marido, a su hijo.

De este examen somero puede concluirse que no falta humanidad en los personajes de Azuela, sino que no acaba de dibujarlos. Se muestran íntegros en sus actos y en su lenguaje, a veces con tal nitidez, que se podría retratarlos a todos.

En suma, estamos en presencia de una novela sabiamente realizada, por su composición, su técnica narrativa, su brevedad y la reciedumbre de sus personajes.

*La prosa de Azuela.* Azuela es un escritor que conoce su oficio, a diferencia de otros que sólo describen la realidad americana, sin haber pasado por el largo aprendizaje de la literatura. Toda América es una gran novela virgen, o como dice Alberto Sánchez, una "novela sin novelistas". Como los escritores americanos están demasiado ligados a la realidad, por lo general son meros cronistas. Evidentemente nos falta todavía la gran novela, el gran novelista: el novelista escritor; el escritor que con genialidad sepa concebir una obra de arte y con técnica sepa construirla. No es tiempo ya de crónicas, ni descripciones ni fotografías de América. Hace falta el artista que *con-forme,* que dé forma a esta realidad; que dé unidad y sentido estético a los trozos crudos de materia que le brinda nuestro mundo. En lo que va del presente siglo todo esto ha comenzado a materializarse. Los novelistas que tratamos aquí son los pilares de la futura novela hispanoamericana. Ya no se puede volver atrás. La generación presente y las que vengan detrás habrán de vérselas con Güiraldes, Mallea, Barrios o Azuela.

Mariano Azuela es uno de los escritores verdaderos en este período postmodernista. Cada una de sus novelas tiene una impostación diferente. En *Pedro Moreno, el insurgente,* por ejemplo cuyo tema es el primer levantamiento criollo en el siglo XIX, la prosa es rancia, reposada, muy española. En las novelas sobre la Revolución de 1910, en cambio, es precisa, recia y sin españolismos, y en una obra como *La malhora,* que pinta el caos después de la Revolución, llega a hacerse tan oscura que por momentos es ininteligible. Después de *La malhora* se restablece la prosa medida y clara, se purifica de ideas políticas y los registros que pulsa son más variados. Por eso decimos que Azuela sabe acomodar la voz al tema que trata. Unas veces es mesurada, preciosista, llena de vocablos prestigiosos, de adjetivos nobles; otras es exagerada, llena de cabriolas y gestos desaforados, según lo exija el tema. En *Pedro Moreno, el insurgente* trata de mostrarnos el estado teocrático del México colonial. Este ambiente se mantiene hasta después de la revolución de 1810.

Cuando empieza a leerse a escondidas *El contrato social* y cuando el Cura Hidalgo predica la libertad, los obispos anatematizan a los insurgentes. El súbdito debía obediencia al rey, y aun faltando el rey, quedaba la autoridad que otorgaban los siglos de dependencia. La dialéctica es demoledora. Un pueblo, cuyos intereses han sido siempre administrados desde afuera, que nunca ha tenido la responsabilidad de su destino, mal puede regirse por sí solo. La tutoría de la corona española y el principio de autoridad deben mantenerse. Todo el fervor y el convencimiento de estas discusiones se absorbe mejor gracias al estilo que Azuela utiliza en esta obra.

Los sacerdotes, al discutir con Pedro Moreno, están poniendo en práctica la retórica aprendida en el seminario. Azuela sabe penetrarla y apropiarse de ella. La novela es una estupenda reconstrucción cultural, más que histórica.

Lo dicho sobre *Pedro Moreno* vale también, aunque en menor grado, para otros libros suyos. Aun en las novelas de pura acción Azuela se da tiempo para elaborar su prosa. No quiere decir esto que sea un escritor ornamental, o puramente verbal, sino que la arquitectura de su frase es sólida y "muy antigua y muy moderna", como lo es la elocución de todo escritor en perfecto dominio de su lengua. Los miembros son simétricos y están bien balanceados los momentos de tensión y distensión. Hay riqueza de vocabulario, lo que nos revela a un hombre preocupado por su artesanía. No desdeña el arcaísmo noble ni la palabra indígena, pero los usa siempre engarzados en un contexto que les da jerarquía. Es una prosa sobria, sin embargo; aunque hay trozos impresionistas, los perfiles están nítidamente dibujados. Hay cierto esteticismo que no llega al barroco, o quizá el barroquismo de Azuela no sea más que esa actitud que muchos críticos descubren en los mexicanos: un abigarramiento en sus cantos, en sus vestidos. (Este preciosismo mexicano, de paso, parece ser una amorosa fusión entre la tendencia azteca y el barroco español, pues en ninguna otra parte de América florece un arte barroco tan vigoroso como en México). En todo caso, lo que sugerimos es que el arte de Azuela puede ser barroco, pero en el sentido indígena, nativo, sin las connotaciones de escuela que tiene el europeo. Por de pronto, las metáforas son escasas. Azuela es un escritor muy severo. Le interesa más la precisión del lenguaje que las imágenes. Describe lo que ve, sin hipérboles, sin comparaciones arriesgadas, pero, en la misma justeza de sus adjetivos y en la sonoridad de sus frases reside esa belleza serena que es característica de los grandes maestros de la prosa, llámense Cervantes, Feijóo, Valle Inclán o Borges.

Cuando aparecen metáforas, no tienen valor evocativo. Las metáforas de Azuela son casi lugares comunes. No trata de convencer tampoco mediante sus transposiciones. Verbigratia: "Los ojos se le pusieron como cristales".

Lo que se advierte es una subyacente herencia impresionista; Azuela siente con delicia la vida a su alrededor. "¡Qué mañana tan bonita! Un dosel de nubes blancas tamiza el sol en menuda lluvia de oro. (...) El paisaje inmenso, cerrado por las lejanas montañas de la sierra de Comauja, deleita la vista y agranda el corazón. El gusto se le mete a uno por los poros en el cuerpo" (*Pedro Moreno, el insurgente*: Cap. XI).

Se deja inundar por el paisaje. Hay una simpatía, una alegría de vivir tales, que inferimos una salud vigorosa. Además, tiene los sentidos bien despiertos; sus imágenes sensoriales son muy profusas. No se le escapa ni un ruidito, ni un olor, ni un reflejo. El paisaje que pinta Azuela es de montañas y valles altos, muy abiertos, con amplias perspectivas. No pierde oportunidad de mostrar esos grandiosos escenarios que tanto parecen gustarle. Constantemente hace referencias a la noche, al viento fresco, delgadísimo, de las alturas, al verde de los valles.

Como buen observador visual, Azuela es un buen pintor. Sus cuadros son reales; obras maestras por el color y la vida. No se parece a Renoir o a Manet sino a los grandes maestros españoles, Velázquez, Murillo, o a los flamencos. Hay una abundancia tal de luz, una aristocracia en sus toques de color, hasta en los ornamentos, que debemos reconocer en Azuela a un artista de gran jerarquía.

Ser buen pintor literario requiere una vasta formación estética. Azuela demuestra tenerla: incluso la técnica de la pintura. Desde que Lessing trató el tema de las relaciones entre plástica y poesía, ha sido un serio problema para los escritores el poder pintar con palabras sin caer en lo que el filósofo alemán advertía: la gran diferencia entre lo estático de las artes plásticas y el movimiento de las literarias. Azuela da el dinamismo que requiere la expresión literaria y al mismo tiempo visiones totales. Por eso sus cuadros literarios adquieren gran valor plástico. Lessing decía que el secreto del prosista consiste en dar, con un gesto, toda la figura. Eso lo consigue Azuela en la escena del candil, primer capítulo de la novela citada. No resistimos al deseo de transcribir este cuadro digno de Rembrandt, con sus fondos oscuros, sus dorados intensos, su atmósfera de puertas adentro y sus rostros serenos.

> "El rostro del cura es prieto y dorado como trigo en sazón. Los carrillos del seminarista, a quien acaban de presentar, tienen la tersura y el frescor de la flor del durazno; pero la lengüeta roja y oscilante del candil los esfuma en el mismo lumbrinegro de un retablo holandés. Chispas de luz en las hebras de nieve que nimban la cabeza del viejo, en las chaquiras blancas y azules de los alzacuellos, en las hebillas de plata que realzan las medias de lana. Chispas también en los ojos del joven de rebruñido pelo castaño oscuro, de boca pequeña y de anchas patillas rizadas".

Hemos dicho que además de color y forma, hay muchas imágenes auditivas. En efecto, las novelas de Azuela están llenas de sonidos. Hasta en las villas más tranquilas se oyen lentas campanadas, gritos de niños que juegan, ruidos pequeños como de hojas que caen, ganados que triscan, etc.

Hay muchos ruidos de guerra: armas, caballos, tambores. Incluso en escenas de estricto silencio, Azuela dice que "no se oye", o sea, que su oído estaba atento.

> "Suena un disparo, suenan cien, y hasta los cobardes cañones se ponen también a rugir. Los de a caballo se precipitan en fuga, los de a pie se tienden por los manzanillares. Todo es confusión, gritos, voces y lamentos; la tropa realista baja como furia, corren las mujeres enloquecidas, los niños lanzan alaridos, y lamentos horribles los heridos". (*Pedro Moreno, el insurgente*).
>
> "No se oye el arrastrarse de las gentes por las piedras, ni el crujir de las ramazones abiertas; no se oye el rodar de las rocas desprendidas ni las voces de las mujeres que tropiezan a cada rato". (Id.)

Hay otro factor muy valioso en Mariano Azuela: la técnica dramática. Hubiera sido un magnífico dramaturgo. Tiene el don del diálogo y esta condición de hacer hablar a los personajes es muy rara. Para el novelista, es más fácil ser él mismo el que hable; esconderse detrás de cada personaje, como un ventrílocuo, y hablar cambiando la voz cada vez. El verdadero novelista no descuida nunca este aspecto cuando concibe un personaje; lo observa en la realidad y toma nota de todos sus gestos, pero no se pierde una palabra, un giro, una muletilla, un matiz de su voz. Azuela presenta sus personajes en acción, y hablando su propio lenguaje. Por eso no los dibuja mucho, ni nos cuenta gran cosa de sus vidas. Ahí los pone, que vivan y actúen como realmente son, y ésta es una condición del dramaturgo nato.

# RICARDO GÜIRALDES

Nació Ricardo Güiraldes en San Antonio de Areco, provincia de Buenos Aires, el año 1886 y murió en París en 1927. Hombre de buena posición económica, distribuyó su vida entre viajes, lecturas, sociedad y ocasionalmente, su estancia.

Su gusto literario se formó en las letras francesas finiseculares. Se inició como escritor con una serie de relatos, *Cuentos de muerte y de sangre* y un volumen de versos y prosas titulado *El cencerro de cristal,* ambos publicados en 1915.

Dos años más tarde publicó una novela breve, casi autobiográfica, *Raucho* (1917) donde cultiva un naturalismo de dudoso gusto; en 1922 apareció *Rosaura,* novela, y en 1923 *Xaimaca,* recuerdos de un viaje por el Pacífico y el Caribe, desarrollados en forma de novela, con una intriga sentimental como anécdota conductora.

Todas estas obras sirvieron de ensayo para la elaboración de *Don Segundo Sombra* (1926), superación de aquella literatura subjetiva, en que Güiraldes se expresa, por fin, entero y grandioso.

Póstumamente se editaron sus obras poéticas: *Poemas solitarios, Poemas místicos, El libro bravo* y *Pampa,* pero su obra maestra sigue siendo aquella novela no pocas veces discutida, en que el escritor logró una singular proeza lingüística.

En el poeta Güiraldes hay una evidente filiación lugoniana. Su elocución dominadora, con el adjetivo enrojecido de la fuerza con que se le encajó en la frase, y ese tono conversacional de porteño sensitivo que saboreamos en Borges, o en Fernández Moreno, son herencia del poeta de las *Odas seculares,* que en cierto modo forjó el lenguaje literario argentino del presente siglo.

El rechazo de Güiraldes por la poesía modernista es notorio desde su primer libro. Hay en *El cencerro de cristal* una rebeldía que no acierta a cristalizar en gran poema, pero las semillas quedan sembradas para la cosecha ulterior. Sus poemas en prosa participan de ese hastío, de esa incredulidad en el arte que es nota común en los postmodernistas. Se burla sin piedad de su emoción un poco fin de siglo, busca *otra sensibilidad* que no está preparada todavía. La vida fácil, los viajes a París, las noches de Colón y de club distinguido en Buenos Aires, dieron a los hombres de principios de siglo ese sentimiento de haberlo visto ya todo y de no esperar gran cosa de la humanidad.

En ese sentimiento se incluye un ligero desdén por la poesía. "Luego de extensos amoríos con mi piano —ese armario de notas— y lecturas poetificantes a voz en cogote". Hay alusiones a los modernistas, ridiculiza algunos temas literarios, y, cuando incurre él mismo en emoción poética, trata de sacudírsela con un gesto despectivo. La metáfora se trivializa, se prosaíza, acentuando el tono burlón que inició Lugones en su *Lunario sentimental.* Uno de los poemas en prosa de *El cencerro,* sobre Tristán e Isolda de Wagner, dice por ahí: "la música culmina, hasta que, exasperadas también de tanto dolor, las cuerdas se rompen y los cobres estallan, como una vulgar gruesa de cohetes".

Hay unos cuantos galicismos, explicables por sus viajes, la moda porteña por lo francés, y sobre todo, por sus deseos ya visibles de desafiar de algún modo a la lengua española; de darle al idioma argentino alguna nota individual, distinta.

Esto lo consiguió más adelante, en la novela. "Malgrado", "cómo son blancos los huesos de los muertos", y otros del mismo tipo, son los galicismos de *El cencerro.* Quiso transplantar ciertas expresiones que consideraba lo suficientemente consanguíneas para florecer en nuestra lengua, pero las abandonó luego cuando tuvo que sumergirse entero en las fuentes del castellano. También echa a mano expresiones muy argentinas —con el mismo propósito, obviamente—, que se resienten de su obligada promiscuidad con las frases gálicas: "a la que te criaste", "mirá, hermano, no te compliqués la muerte".

Estas búsquedas no son casuales. Su preocupación estética por hallar nuevos caminos se aparta grandemente de los ideales modernistas. Güiraldes quiere una forma que refleje lo íntimo, no la forma exterior, superficial. "La forma obedece a lo que el sujeto le dicta desde su significado interior", proclama en *El cencerro.* Está ya más cerca del impresionismo que del simbolismo.

El mismo propósito, pero más firme, maduro y cierto de triunfar, le guió en la creación de su novela consagratoria, *Don Segundo Sombra.* Aunque se ha dicho que no es una novela y que el personaje no está bien concebido (desde el punto de vista de los cánones épicos, supongo), Don Segundo es una de las figuras literarias más representativas de la Argentina. Leopoldo Lugones lo anticipó en su prólogo al decir: "como la libertad consiste en poseerse, no en poseer, [Güiraldes] forma un tipo de hombre libre que es la cepa genuina de nuestra raza y que caracteriza ya nuestro predominante individualismo".

En *Don Segundo Sombra* Güiraldes se propone crear una obra artística de enormes dificultades. Va a presentarnos la figura engrandecida del gaucho, tal como él lo vió en su niñez. Sabía que el gaucho era ya sólo una sombra en la vida argentina; sabía que la literatura gauchesca había explotado en exceso al personaje y su vida, como tema.

Después de *Martín Fierro,* que marca la culminación y fin de la poesía gauchesca, el tema invadió el teatro con el gaucho Juan Moreira, de Gutiérrez y Podestá. Florencio Sánchez había documentado la transición del gaucho a peón de estancia en uno de sus mejores dramas, *La gringa.* A partir de 1911 el gaucho fué tácitamente proscripto de los escenarios de Buenos Aires porque ya el público estaba saturado de "dramas gauchescos".

Revivir una figura así abolida era riesgosa aventura. Había que echar mano a nuevos recursos: nuevo género, nuevo enfoque y nuevo lenguaje.

En cuanto al género, tenía que ser esta vez una novela. Cambiar el enfoque también era fácil; la figura que los versos y el teatro gauchesco habían estereotipado era la del gaucho matrero, el *out-law,* el renegado; pero esa figura no era real ya. Los gauchos nuevos vivían pacíficamente y no por eso eran débiles; vivían en paz con la ley y no eran menos hombres. Su hombría no consistía en la fácil ira del desplazado social, sino en saber enfrentar sereno el desafío de una vida dura, de trabajo viril. El gaucho que Güiraldes conocía era diestro en las artes de la pampa; sabía controlar sus emociones y defendía su suprema libertad interior. Era necesario borrar, en cierto modo, el matón de los carteles teatrales. De ahí que Güiraldes, con el temprano episodio del Tape Burgos deja en claro el coraje distinto de su personaje. Don Segundo rehusa batirse con una entereza que deja pasmados a los contertulios de La Blanqueada y conquista definitivamente al gauchito Cáceres. Un hombre así hubiera deseado tener él por padre...

Este hombre, agigantado por la admiración, se le presenta así:

> "El pecho era vasto, las coyunturas huesudas como las de un potro; los pies, cortos, con un empeine a lo galleta; las manos, gruesas y cuerudas como cascarón de peludo. Su tez era aindiada; sus ojos, ligeramente levantados hacia las sienes, y pequeños. Para conversar mejor habíase echado atrás el chambergo de ala escasa, descubriendo un flequillo cortado como crin a la altura de las cejas".

Este es sólo su retrato físico. Su figura moral irá perfilándose en cada gesto, en cada situación, hasta alcanzar la broncínea estatura del arquetipo.

El tercer problema, el de la lengua, era quizás el más bravo, pero en este mismo retrato ya estamos viendo cómo lo superó. Idioma natural, verosímil en labios de un paisano, pero rico en visión, fecundo en metáforas impresionistas. Muy pocos localismos; *Don Segundo Sombra* casi no necesita de glosarios fuera del Río de la Plata. En suma, se cumple en esta novela el temprano ideal estético de Güiraldes; expresar la visión interior de las cosas; dictar desde dentro la forma.

Hugo Rodríguez Alcalá, en su excelente ensayo, muestra el mecanismo de las metáforas en *Don Segundo Sombra.* Advierte que, sistemáticamente, las imágenes se refieren a la realidad pampeana. La visión que tiene el protagonista es, por lo tanto, auténtica. Expresando esta visión, o sea metiéndose en el alma del personaje, Güiraldes, no podía errar. Con este requisito cumplido, el estilo quedaba en amplia libertad. Sin traicionar en ningún momento al personaje, sin abandonar esta mira esencial, sumergiéndose en el mundo del gaucho y mirándolo con ojos de gaucho, la sensibilidad culta, universal de Güiraldes haría el resto. Por eso no hay incongruencia en su obra. La riquísima imaginación del autor, sus lecturas, sus aspiraciones estéticas, van iluminando página tras página las memorias del "guacho" Cáceres con imágenes de gran calidad literaria. Y lo más curioso de este estilo es que la reducida gama de elementos metafóricos a la que voluntariamente se confina, lejos de limitar su horizonte poético, lo agranda, porque cada comparación, al referir una realidad pampeana a otra realidad pampeana, multiplica los planos, como muchos espejos, hasta convertirse el libro en un inmenso cuadro donde ha quedado grabado todo; realidad e imagen adquieren igual jerarquía; lo real y lo poético colaboran en la tarea de presentarnos un mundo singular.

Además, Don Segundo Sombra no es una novela de costumbres. El realismo de lenguaje se cumple sólo en lo esencial: en boca de los personajes. Los argentinismos que usa son los más legítimos, es decir, los que sin conmover la estructura de la lengua, dan a la prosa un inequívoco sabor rioplatense.

Por lo demás, el idioma es español culto y las más audaces construcciones, las más elaboradas perspectivas y los más exquisitos procedimientos narrativos se nos deslizan casi desapercibidos bajo los ojos, mientras leemos el libro con la ilusión de estar leyendo a un gaucho, apresuradamente pulido al convertirse en estanciero. Hemos hablado de las peculiarísimas perspectivas que usa. A veces el punto de observación está en el mismo sol, otras, en el fino oído de un caballo y aun desde los nervios sacudidos de un gallo de riña: "En su cabeza, como vacía, sólo vivía un quemante bordoneo, cruzado de dolores agudos como puñaladas".

Una serie de vívidos cuadros impresionistas y dos cuentos de Don Segundo matizan la árida vida de los reseros.

En la Fonda del Polo, por ejemplo, el protagonista mira a su alrededor y descubre "un matrimonio irlandés que esgrimía los cubiertos como lapiceros", "un hombre grande y gordo, solitario frente a un mantel cargado de manjares". Croquis rápido, con escuetas líneas, manchas de color, sin mayores detalles. Pero la pulpería se llena mágicamente de figuras humanas, de voces, ruidos de cubiertos y olor de comidas, gracias a la prodigiosa capacidad de ver que tiene este gauchito y a la habilidad estilística de Güiraldes.

Más dibujada, aunque todavía prevalece el color y el movimiento sobre la línea, es la riña de gallos. La página se abre y se cierra con la frase "sonó la campanilla", formando así un cuadro independiente, que puede desglosarse del libro y mantenerse, en las antologías, por sí solo.

En esta amplia epopeya incruenta del nuevo gaucho, sin embargo, hay un héroe. Don Segundo es suma y síntesis de la pampa de hoy, alambrada, cultivada, no ya salvaje y desierta. Su papel tutelar en la vida del protagonista parece continuarse, de algún modo, con cada criollo que llegue a conocerlo. Hay algo profundamente argentino en él y todos sentimos su autoridad y su protección con sólo asomarnos a sus palabras. Y lo que le confiere mayor fascinación es que siempre se está yendo; nunca está demasiado presente. Su parquedad y silencio a veces son más efectivos que su acción, pero se lo presiente cerca y hay una extraña seguridad, como aquella noche, en la tapera de don Sixto, cuando el personaje presencia la terrible alucinación del viejo. Don Segundo estaba durmiendo afuera; el protagonista, paralizado de espanto piensa en él y se pregunta, "¿cómo no oía?" cuando la larga silueta del padrino se dibuja en la puerta y se escucha su tranquila voz diciendo "Nombresé a Dios".

Tan imprescindible se hace que, en los capítulos donde falta, el lector lo echa de menos. Estas ausencias, y estas fugas son calculadas también porque Don Segundo es más espíritu que carne. Es algo así como el alma colectiva de la pampa. Por eso no hay que pedirle más carnalidad de la que tiene; por eso es intachable. Se ha dicho que es inverosímil que no tenga amoríos, iras, fracasos. Es que no es un hombre real, repito, y Güiraldes no quiso que lo fuera. Desde la primera aparición, Don Segundo está en fuga, su figura es casi fantasmal.

> "Inmóvil, miré alejarse, extrañamente alargada contra el horizonte luminoso, aquella silueta de caballo y jinete. Me pareció haber visto un fantasma, una sombra, algo que pasa y es más una idea que un ser; algo que me atraía con la fuerza de un remanso, cuya hondura sorbe la corriente del río".

Y en el capítulo final se insiste en esta cualidad de Don Segundo: "El estaba hecho para irse siempre"; luego dice Fabio Cáceres, mientras su padrino se aleja: "un rato ignoré si veía o evocaba" hasta que las lágrimas le nublan el paisaje donde se empequeñece la figura de Don Segundo, cuando añade: "no sé qué extraña sugestión me proponía la presencia ilimitada de un alma", y se repite, "Sombra", con infinita tristeza. Alma, idea, sombra, son las palabras que mejor definen a Don Segundo. El no es el último gaucho, su adiós no es definitivo. Es el genio de la pampa que nos habita a los argentinos, quieras que no, en algún momento de nuestras vidas y al alejarse nos deja esa sensación de habernos desangrado, de habernos muerto en parte, de haber perdido algo muy nuestro.

# JOSE EUSTASIO RIVERA

Nació en Neiva (Colombia), en 1888 este escritor de obra escasa y vida breve. También en él es visible la gran herencia modernista. Su libro *Tierra de promisión* (1921), es un volumen de sonetos donde apunta una modalidad de gran valor literario; una nueva forma de describir la naturaleza, en la medida que puede ser nueva una modalidad literaria. Su técnica es parnasiana: construcción vigorosa, trazo claro. El paisaje colombiano está perfectamente recortado; los ríos, las montañas, el llano, todo merece un *cuadro,* pero no son cosas estáticas, como en los sonetos de Heredia, sino dinámicas; esto es lo que aporta Rivera. Sin embargo los sonetos no pierden por eso su majestad. Los potros que galopan el llano, los toros encelados, las garzas que planean sobre los bañados, los caimanes perezosos, pueblan estas magníficas páginas de color y movimiento. Nadie hasta entonces había revelado un ángulo tan hermoso de la naturaleza colombiana. Su lenguaje es aristocrático; en la selección de vocablos encuentra un modo de ennoblecer la materia.

Esta modalidad se acentúa en *La Vorágine,* a pesar de que allí trata a menudo realidades fétidas y horribles. La imaginación poética, el arte verbal, debe ennoblecerlas por fuerza para convertirlas en materia artística. En esta actitud reconocemos su herencia modernista. Pero la voluntad artística contrasta con su nueva actitud ante la naturaleza. En los sonetos hay estilización y selección. Es como observar la naturaleza desde el aire. Todo parece armonioso, proporcionado, puro y bello. En la novela, en cambio, es como si viajáramos por tierra, soportando todas las incomodidades, fiebres, picaduras que ese mismo paisaje esconde en su seno.

En *La vorágine* no hay más contemplación parnasiana de la realidad; el autor deja de ser objetivo y se va enredando de tal modo con la realidad que describe, que al final la selva lo engulle, contagiándole su fiebre.

Como todos los novelistas que se iniciaron en la poesía, Rivera ha gustado la embriaguez de la pura forma, pero la necesidad expresiva, al rebasar los límites del verso, lo conduce a la novela y aunque todavía hay voluntad de estilo, la prosa se vuelve descarnada, urgente, impresionista.

Es *La vorágine* una novela de la selva. Es la selva cauchífera, torbellino que enloquece a los hombres. Hay una tesis implícita: la selva devora a los hombres y es inútil todo esfuerzo por dominarla. Parecido tema es el de *Canaima,* de Rómulo Gallegos; la diferencia estriba en que Rivera tuvo una vivencia directa de la selva y la trasladó casi virgen a la novela. Gallegos elabora con más serenidad y maña esa atmósfera alucinada de la selva guayanesa donde transcurre su novela.

Rivera formó parte de una comisión de límites colombo-venezolana. Recorrió los valles del Orinoco, el Meta, el Vaupés y el Río Negro. (*Canaima* justamente empieza en la desembocadura del Orinoco) Rivera convivió con los indios. En una de sus salidas se perdió y tuvo que vivir en las aldeas indígenas. Sufrió el tormento de la sed, el horror de "las tambochas", los mosquitos y las fiebres. Escribió la novela mientras convalecía del beri-beri. De allí ese tono de diario y de experiencia reciente, hondamente vivida que tiene *La vorágine.*

Aunque no lo guió ningún propósito acusador, es tan inhumana la vida del peón cauchero que describió Rivera, que fué un enérgico toque de atención. A poco de aparecer el libro, en 1924, el gobierno envió inspectores para constatar las condiciones de vida de los hombres que trabajaban en aquellas regiones.

Posteriormente Rivera viajó por Perú y Chile en misiones honoríficas. A Chile fué como representante de Colombia, para asistir a los festejos de la independencia. En 1928 se hallaba en New York, por invitación de amigos suyos, preparando la edición definitiva de *La vorágine* cuando enfermó brevemente de pulmonía y murió.

Tenía entonces cuarenta años.

# LA PROSA DE JOSE E. RIVERA

Es contradictoria. En medio de un aparente desaliño nos sorprende con fogonazos estilísticos de gran calidad. Siempre está en busca de la imagen; persisten sus hábitos de poeta. No es sólo un narrador. El novelista experimenta el puro goce de narrar, de cautivar al lector. El poeta quiere ir dando forma a una materia. Por eso decimos que los hábitos de poeta sobreviven en el novelista Rivera.

Por lo general, la novela no permite la demora estética, el arrullo sonoro de la poesía. Por eso los novelistas orfebres, como Gabriel Miró, son muy contados.

En Rivera se mezclan el apuro por agotar la naturaleza épica y la pausa para extraerle el zumo lírico que le ofrece. Esto es doblemente valioso y sorprendente en un escritor "tropical" en quien, por el hecho de serlo, se presupone una torrencial efusión de lo narrativo sin detenerse a tallar la prosa.

Rivera sabe crear la atmósfera de tensión en el lector. Tensión ante la selva, donde todo es nuevo e imprevisto. Al entrar en los grandes bosques, contrastan sus bellezas con los espectáculos más tristes. Paisaje bellos desde lejos, terribles para ser vividos. Las tormentas y los incendios suelen estimular la voluntad del novelista. Son *trozos de bravura* para el escritor, y, en el trópico, tema inevitable. El incendio en *La vorágine,* como la riña de gallos, están vinculados estrechamente a las reacciones del protagonista. Son elementos de la gran vorágine. Los hechos lo arrastran a la perdición y realiza actos de los que no se creía capaz. Esa vida primitiva lo va conquistando. Todas las páginas quieren conseguir al máximo su objetivo de crear la atmósfera de angustia.

Contrariamente a Gallegos, Rivera tiene una imaginación frondosa. Gallegos traza un esquema claro, que limita, a la vez que equilibra la materia narrativa. En *La vorágine* —como que es el diario de un hombre atormentado que huye— el relato fluye improvisado, sin saber adónde va. Es la imaginación sin límites la que nos coloca frente a cada personaje con una historia particular y complicada. Estas historias se engarzan como pequeñas novelas en la mayor. Una de las más largas es la de Clemente Silva, hombre aniquilado por la selva. El mismo lo confiesa –y es el único que expresa en palabras esta imagen de la selva "devoradora de hombres"–: hay un permanente duelo a muerte entre el hombre y la selva, con el triunfo casi seguro de ésta.

El libro, escrito como una autobiografía, tiene al final estilo de notas. Toda la novela sigue la forma de un remolino. Al principio es una amplia espiral, pero sus círculos van cerrándose a medida que nos acercamos al final. En la primera parte las páginas son serenas y objetivas, de gran riqueza plástica. En la segunda parte, la prosa pierde plasticidad; el narrador se siente ahogado por el misterio y la confusión de la selva. Cada una de las partes finales se inicia con una invocación a la selva que lo va ganando. Todo se impregna de un sentido mágico y misterioso que nadie puede explicar. Algunos dicen que es a causa del olor que despide cierta planta salvaje. Todos sienten alguna vez el terror de la soledad. Algunos enloquecen y toman cualquier rumbo en sus ansias de escapar, pero se pierden. También hay leyendas sobre los espíritus de la selva y su poder enloquecedor. Una de ellas, la de la "indiecita Mapiripana".

Rivera describe con los escalofríos de su experiencia fresca, las bellezas de esa selva donde todo se está gestando; una vida primitiva donde todo es destrucción, donde no hay horizontes, donde no se ve el sol por la cerrazón del follaje. "Selva sádica y virgen", la llama. "Bajo su poder, los nervios del hombre se convierten en haz de cuerdas, distendidas hacia el asalto, hacia la traición, hacia la acechanza. Los sentidos humanos equivocan sus facultades: el ojo siente, la espalda ve, la nariz explora, las piernas calculan y la sangre clama: ¡Huyamos, huyamos!"

Son éstas las sensaciones del que se pierde y busca afanosamente el sol para guiarse. Una de las últimas páginas descriptivas, antes de que el embrujo del "infierno verde" haga presa de Arturo Cova, es la que se refiere a las garzas.

> "El inundado bosque del garcero, millonario de garzas reales, parecía algodonal de nutridos copos; y en la turquesa del cielo ondeaba, perennemente, un desfile de remos cándidos, sobre los cimborrios de los moriches, donde bullía la empelusada muchedumbre de polluelos. A nuestro paso se encumbraba en espiras la nívea flota, y, tras de girar con insólito vocerío, se desbandaba por unidades, que descendían al estero, entrecerrando las alas lentas, como un velamen de seda albicante".

A partir de la segunda parte estas páginas serenamente construídas ceden lugar a otras de horror, que arrecian hacia el final queriendo mostrar lo más lóbrego y brutal que aquellas tierras encierran.

La descripción de la "selva inhumana" es un *leit motif* que se repite capítulo tras capítulo, a medida que la espiral del torbellino se va cerrando. Aparte de que cada personaje tiene su historia aislada, hay algunos en los que el autor se especializa. El Váquiro, vicioso, maligno, avaro, tiene una gran cicatriz en la frente, no recuerdo de hazañas guerreras, sino de alguna pendencia.

> "Por el escote de su franela irrumpía del pecho un reprimido bosque de vello hirsuto, tan ingrato de emanaciones como abundante en sudor termal".

Es el receptor de las cargas de caucho. Otro personaje bien trazado es Ramiro Estévanez —Esteban Ramírez, en Bogotá—, hombre raro, desahuciado, que no quiere volver a la civilización. Fué un joven inteligente, promisor, que sucumbió al hechizo de la selva. La autoridad máxima del Yaguanarí, El Cayeno, es un extranjero que tiene un poder omnímodo. Es un verdadero personaje de leyenda que tiene, finalmente, una muerte horrible. Pintoresca y temible es también la extraña mujer mercachifle, Zoraida Ayram, a quien Cova describe así:

> "Era una hembra adiposa y agigantada, redonda de pechos y caderas. Ojos claros, piel láctea, gesto vulgar. (...) Sus brazos, resonantes por las pulseras y desnudos desde los hombros, eran pulposos y satinados como dos cojincillos para el placer, y en la enjoyada mano tenía un tatuaje que representaba dos corazones atravesados por un puñal".

Franco, Barrera y la "niña" Griselda también están bien tratados. Finalmente Cova encuentra a su mujer y a Griselda, que huyeron con Barrera. Echando mano a toda su furia acumulada durante meses, Cova pelea con Barrera a orillas de un lento río, "hasta que yo, casi desmayado, en supremo ímpetu, le agrandé con mis dientes las sajaduras, lo ensangrenté, y, rabiosamente, lo sumergí bajo la linfa para asfixiarlo como a un pichón". Pero aun faltaba el rasgo de horror. Al sentir el olor de la sangre, acuden los caribes, peces carniceros, que "lo descarnaron en un segundo, arrancando la pulpa a cada mordisco, con la celeridad de pollada hambrienta que le quita granos a una mazorca. Burbujeaba la onda en hervor dantesco, sanguinosa, túrbida, trágica; y, cual se ve sobre el negativo la armazón del cuerpo radiografiado, fué emergiendo en la móvil lámina el esqueleto mondo, blancuzco, semihundido por un extremo al peso del cráneo y temblaba contra los juncos de la ribera como en un estertor de misericordia!"

*La vorágine* fué publicada en 1924. Pocos años más tarde, Rivera moría en New York sin haber dado a luz ninguna otra obra. Dejó, pues, sólo dos: *Tierra de promisión* (sonetos) y *La vorágine* (novela), que parecen antípodas.

Mientras sus sonetos pintan una naturaleza irisada, bella, límpida, la novela nos habla de otra realidad fascinante y cruel. Son dos maneras de encarar la realidad: contemplándola y viviéndola. Son dos estéticas distintas: parnasiana e impresionista; como quien dice, clásica y romántica.

## ROMULO GALLEGOS

Novelista venezolano, nacido en Caracas, 1884. Ha sido educado en la corriente modernista. Como el proceso así llamado fué de proyección continental, no es aventurado afirmar que en cuanto al gusto literario, lecturas y modelos, los hombres que se formaron en las primeras décadas de nuestro siglo han recibido fuerte influencia de los modernistas.

Rómulo Gallegos adquirió de sus modelos dos características muy valiosas: el impresionismo artístico y la voluntad de belleza. Fué periodista en su juventud; más tarde profesor y político destacado. En este último aspecto, sabido es que llegó a la presidencia de Venezuela, aunque su gobierno fué un aparente fracaso que terminó con el golpe de estado que entronizó a Pérez Giménez en 1948.

Una de las metas que persiguió como periodista y que se trasunta en sus novelas, fué la redención del pueblo venezolano por la cultura. Como escritor, probablemente sea el que mejor describió la naturaleza venezolana y como novelista, es uno de los que ha puesto en relieve universal la realidad humana de América del Sud, al lado de José Eustasio Rivera y Ciro Alegría.

Todas sus novelas son como las partes de una obra cíclica que se propone pintar todos los aspectos de la vida venezolana. Sus relatos abarcan la costa, los llanos y la selva. Igualmente sus personajes son hombres de diversos orígenes y niveles, ofreciéndonos las costumbres provincianas, sus tradiciones, sus creencias y supersticiones. Lo mismo en sus novelas del llano, como en las de la costa o de la selva. *Canaima,* por ejemplo, es un relato de las explotaciones caucheras —el mismo tema de *La Vorágine*—, aunque con otro enfoque. *Doña Bárbara* es la novela del llano, por excelencia, y *Pobre negro* la novela que mejor representa la vida de la costa.

La más acabada, y también la más leída en el extranjero es, sin duda, *Doña Bárbara.* Esta novela es uno de los momentos más felices de nuestra literatura.

Gallegos es un narrador nato. Se inició como cuentista en 1913; su primera colección de cuentos se llamó *Los aventureros.* En estos cuentos, tal vez por exigencias del género, no hay mayores descripciones de la naturaleza. El interés principal está en los personajes y en el tratamiento psicológico de los mismos. Sus tipos humanos son casi siempre frustrados. Gallegos nos ofrece una galería de vidas desoladas, en aislamiento, en la miseria e incluso en la locura.

Los personajes que más le atraen son los resentidos sociales, los que por la epilepsia o por algún vicio, se sienten desterrados de la vida. Pero no hay tratamiento "naturalista" como en los franceses de fin de siglo, sino una gran comprensión humana. No hay burla ni desprecio por estas vidas sino una atmósfera entre comprensiva y esperanzada, como si buscara la salvación de estos seres. Gallegos los perdona, no los fustiga ni condena.

En estos cuentos ya hay atisbos de su prosa posterior; sobre todo la visión impresionista, las perspectivas originales y el afán de belleza poética. Hay una especie de contemplación panorámica de la realidad, en el sentido de que abarca varias zonas. Esto es original.

Tanto en la contemplación del paisaje como en su visión del hormiguero humano, tiene esta mirada amplia que le permite ordenarlo todo, cosa difícil en un autor que se siente parte de la realidad que describe.

En cuanto a la prosa, es flexible. Alterna las oraciones largas y breves con naturalidad. Su lenguaje se carga de metáforas y sin embargo no se parece ya a los modernistas americanos, sino más bien a los prosistas españoles del 98.

En sus obras posteriores la experiencia literaria de los cuentos, así como el tratamiento psicológico de los personajes, le ha servido enormemente. Los tipos humanos de sus novelas son interesantes, complejos. Son una parte importante de la novela aunque estén convertidos en símbolos. El toro, el árbol y el hombre son elementos de una alegoría y este aspecto simbólico es probablemente lo que ha dado universalidad a sus obras. Sin embargo, no hay ninguna novela de Gallegos que supere la penetración psicológica de sus cuentos.

Después de *Doña Bárbara* (1929) hay un profundo pesimismo. Ya la fe en el *progreso* no es el tema fundamental, porque no cree en los hombres de su tiempo. No son ellos los que han de imponer el progreso y la cultura en su patria. Los intelectuales se intoxican con literatura pero no son capaces de poner en acción sus ideas. Son incapaces y abúlicos.

"¿Que somos una raza inferior? Convenido. No estuvo en nuestras manos el evitarlo".

Sin embargo su pesimismo no es destructivo. Aun hay programas positivos que proponer a sus compatriotas: modernizar la vida de los indígenas, el re-encuentro de los venezolanos, conocerse a sí mismos y no desertar, sino quedarse en Venezuela para luchar desde adentro por su salvación.

Ya en *El último Solar* (1920) —rebautizada luego *Reinaldo Solar*— hay este tipo de crítica al país y a sus hombres. Los personajes de esta novela son venezolanos típicos. Pseudointelectuales (leen a Nietzsche, a Zola, a Tolstoy) que se creen avanzados y están llenos de prejuicios. Creen que su genio revolucionará el mundo, pero no lo aplican a las modestas tareas que su patria necesita, sino en elucubrar una obra maestra de nunca será. El fracaso los lleva a las logias, cuando no al alcoholismo, siempre buscando soluciones prodigiosas.

Las novelas de Gallegos son las más europeas por su construcción. Trabaja sus relatos con técnica depurada, aunque un tanto romántica, por sus paralelismos y contrastes. De todos modos, siglo XIX, aunque más parecido a Dickens y a Daudet que a Zola.

La primera nota que sus críticos observan es el *realismo*. Los que conocen los llanos se asombran de la exactitud de sus descripciones. Pero este realismo no es más que un pretexto para introducir su *simbolismo*. Pretexto, o reverso, porque la novela de Gallegos tiene dos caras: realista-simbólica, o simplemente sus símbolos están bordados sobre cosas reales.

De cualquier manera, el simbolismo nos parece más importante. El símbolo fundamental es justamente la gran llanura venezolana, bárbara y violenta, la devoradora de hombres. El simbolismo de Gallegos tiene un fin ordenador. Es analítico, no sintético; aclara, no oscurece la realidad. Esta búsqueda de equilibrio y claridad es característica y toda la composición novelística se asienta sobre estos dos pilares. Capítulo tras capítulo, Gallegos anticipa la intención simbólica en los títulos. Luego se desarrolla la fábula que ilustra o da razón al título y finalmente, al remate de cada relato, se reiteran las mismas palabras como para afianzar la idea implícita.

Sin embargo, este simbolismo no produce artificios ni complicadas alegorías. Gallegos mismo explicó una vez: "Debo advertir que en la gestación de mis obras no parto de la concepción del símbolo —como si dijéramos, en el aire— para desembocar en la imaginación del personaje que pueda realizarlo; sino que el impulso creador me viene simpre del hallazgo del personaje ya significativo, dentro de la realidad circundante". (En *La pura mujer sobre la tierra,* conferencia pronunciada en el Lyceum, La Habana, mayo de 1949).

Sus narraciones, que arrancan en *Los aventureros* (1913), se continúan con *El último Solar* (1920) y *La trepadora* (1925). (Aquí el nombre indica la simbología: la mujer humilde que se aferra al hombre que la ama para abrirse camino). Luego apareció *Doña Bárbara* (1929) (donde también el título anuncia uno de los símbolos); *Cantaclaro* (1934); *Canaima* (1935); *Pobre negro* (1937); *Sobre la misma tierra* (1943); *El forastero* (1942) y *La brizna de paja en el viento* (1952).

## EDUARDO BARRIOS

Este magnífico prosista chileno ha tenido una existencia variada e intensa. Don Arturo Torres-Rioseco la relató en su libro *Grandes novelistas de la América Hispana*. De allí entresacamos los datos más salientes.

Nació Eduardo Barrios en Valparaíso, Chile, el 25 de octubre de 1884. Fueron sus padres, un veterano de la guerra del Pacífico y una peruana. Al morir su padre, se trasladó con su madre al Perú y allí realizó sus primeros estudios. Más tarde volvió a Chile para seguir la carrera militar, pero no se avino a la vida de soldado.

Abandonó la escuela militar y rompió con sus parientes paternos, iniciando así una vida de viajes y peripecias diversas. Fué minero, tenedor de libros, vendedor ambulante. Viajó por Perú, Ecuador, Uruguay y la Argentina. En Buenos Aires hizo hasta de levantador de pesas. Radicado por fin en Chile trabajó como taquígrafo de la Cámara; más tarde fué Secretario de la Universidad, Director de la Biblioteca Nacional y Ministro de Educación.

En sus años más recientes, ya retirado de la vida pública, se dedicó a la agricultura.

De esta biografía sintética se puede inferir que Barrios es un novelista sin formación de escritor. Su única escuela ha sido la lectura ávida y desordenada de los grandes narradores modernos. Paul Bourget, Emile Zola, Gustave Flaubert y Pérez Galdós fueron sus modelos primeros y en ellos se formó el gusto literario de Barrios.

Desde 1915, fecha de *El niño que enloqueció de amor*, hasta hoy, Barrios ha escrito una media docena de libros, algunos de los cuales marcaron época en la historia de nuestra novela. Sus temas son diversos, pero el acento en casi toda su obra está puesto en el examen psicológico de sus caracteres. Nos ha dejado una galería de vidas humanas que viven conmovedores dramas íntimos y llegan a estallar en violencia en la mayoría de los casos. Como Flaubert, Barrios parece haber sacado estos personajes de su propia alma, compleja y múltiple; sus tramas son elaboraciones novelescas en torno a anécdotas autobiográficas; su estilo aspira a ser "transparente y musical", a semejanza de Azorín.

Suele decirse que toda obra artística es una vasta autobiografía; un diario íntimo extendido y poetizado, siguiendo el criterio de que toda actividad creadora se nutre de la experiencia personal. Si se afirma esto con carácter axiomático, puede caerse en falacia, pero si se refiere a un escritor determinado, puede ser exacto.

Si la introspección y lo subjetivo juegan papeles principales en su carácter y la expresión literaria tiende a ser lírica, confidencial, es presumible que toda la obra de tal artista esté bordada sobre el cañamazo autobiográfico. Uno de esos casos parece ser el de Eduardo Barrios.

*El niño que enloqueció de amor* (1915) fué inspirada en una experiencia infantil. *Un perdido* (1921) parece un trozo de su vida, allá por los años en que abandonó la Escuela Militar. *El hermano asno* (1922) pudo haberle ocurrido por su temperamento contemplativo, dudoso, sus tendencias al erotismo, sus dudas y arrepentimientos repentinos. Pero si hubiera dudas sobre la identidad de Fray Lázaro, con Eduardo Barrios, el mismo personaje nos cuenta que María Mercedes guardaba un ejemplar de... *El niño que enloqueció de amor.*

*Tamarugal* (1944) describe la vida de los campos en el Norte de Chile. Barrios conoce bien las minas y salitreras de aquella región.

*Y la vida sigue* (1925) es una serie de relatos seguidos de una autobiografía, como para corroborar la permanente contemplación interior que comentamos.

Como todo escritor, a pesar del tono intimista de sus escritos, hay en Barrios diferentes maneras. Es el estilista que ajusta su tonalidad al tema, no versatilidad o eclecticismo.

Es un digno heredero del modernismo, además. No hay flojeras en su prosa, aunque confiese —según Torres-Rioseco—, que no revisa los originales y que, una vez publicados, "como medida de higiene", no los lee más.

Una obra como *El hermano asno* no se improvisa. La composición de la novela está mostrando el amor y la constancia con que fué elaborada. Todo está allí en su lugar. Las transiciones de un capítulo a otro, que marcan días distintos en el diario de Fray Lázaro; las ideas y emociones que pueblan las horas de este sentimental que no podrá ser nunca un "buen franciscano", a menos que consiga matar el hombre que lleva adentro.

La regocijada contemplación de la naturaleza, el gradual sensualismo que va emergiendo a medida que el personaje se enamora otra vez; la paulatina locura de Fray Rufino, que corta de un golpe la novela, concluyendo de rebote con los dilemas de Fray Lázaro; todo está tan bien conducido, tan armoniosamente escrito, que *El hermano asno* es indiscutiblemente una de las pocas obras maestras de la literatura sudamericana.

A veces el lenguaje es severo como un reglamento, dándonos el tono exacto de la vida monacal. "En religión, mientras menos se piensa más se sabe". Otras, la prosa suena bíblica, o más bien franciscana. Barrios seguramente ha recorrido las *Florecillas* del santo de Asís, las Escrituras y los místicos para asimilar el estilo sagrado tan bellamente. Es como leer *Las figuras de la Pasión,* de Gabriel Miró.

> "Pica el lego los ijares a su bestia, con el talón de la sandalia; el grueso pulgar de su pie levántase crispado, mientras los dedos pequeños se prenden al canto de la suela, y los codos, en afanoso aleteo, quieren impulsar al animal lerdo y testarudo. A la zaga trota el

perro, lacias las orejas, en arco el rabo, y acezando, con la lengua fuera, colgante y goteante como una pulpa que sangra.

Pronto los tuve otra vez lejos. Sobre la tierra parda, lucían el color de la mula blanca, el sayal castaño y el perro negro, borrábase el pollino ceniciento, y tres nubes de polvo iban estelando el aire".

Como se ve la prosa es severa pero plena de ternura. El goce que invade los sentidos de Fray Lázaro tiembla en cada frase, en cada vocablo; el lenguaje es casi siempre impresionista; las sensaciones son variadas, con frecuentes sinestesias.

> "Hay un olor verde a legumbres vivas" (...) "Todo entraba nuevo por mis sentidos limpios y ávidos". (...) "Señor, el agua delgada y casta entró por mi boca, bañó mi pecho y llegó hasta mi corazón".

Otra novela de singular arquitectura y decantada prosa es *Gran Señor y rajadiablos* (1948) donde se plantean de nuevo problemas psicológicos y se pintan interesantes caracteres.

El resto de su obra lo constituyen, *Del natural* (1907) relatos naturalistas; *Páginas de un pobre diablo* (1923), cuentos y su última novela, *Los hombres del hombre* (1950).

Como ya dijimos antes, las observaciones y buceos en el alma humana son la nota característica de Eduardo Barrios, escritor subjetivo, impresionista, más que psicólogo. No hay en sus caracteres ni asomo de freudismos, o de psicología moderna en cuanto ciencia. Para Barrios el alma humana es la cantera que le brinda material para sus narraciones y un atento observador puede pasarse sin tratados de psicología. Recordar, si no, a Racine o La Rochefoucauld.

# CIRO ALEGRIA

Nació en Perú, en 1909. Es actualmente uno de los narradores más completos que haya nacido en América.

En sus comienzos fué poeta y periodista. En el prólogo de *El mundo en ancho y ajeno* declara que hasta el año 1931 había escrito muchas crónicas periodísticas, cuentos y versos. Luego se dió cuenta de que su mensaje no cabía en el marco de la poesía o del cuento y escribió *La serpiente de oro* (1935) y más tarde *Los perros hambrientos* (1939). Uno de los capítulos de esta novela iba a titularse "El mundo es ancho y ajeno", pero el tema de ese capítulo parecía suficientemente bueno y amplio para una novela y lo reservó. Posteriormente siguió trabajando en esta idea, de modo que la novela fué madurando en su mente hasta que se puso a escribirla. Esto ocurrió cuando sus amigos lo estimularon a presentarse al Certamen de la Novela Hispanoamericana que en 1941 organizaron las compañías editoriales de Farrar y Rinehart de New York. Por aquellos años Alegría, que había trabajado mucho por el APRA en el Perú, estaba desterrado en Chile, luchando por subsistir, a pesar de que sus dos novelas anteriores también obtuvieron premios en respectivos certámenes. Trabajó intensamente por unos meses, mientras sus amigos subvenían a los gastos primordiales, concluyó su nuevo libro, se presentó al concurso, y nuevamente se le otorgó el primer premio.

Su primera novela es de *cholos* y sigue el esquema de las novelas indigenistas, que florecieron durante el presente siglo en los países andinos (Bolivia, Perú y Ecuador). Hay en ella fuertes contrastes: el indio aparece permanentemente explotado por el "gamonal". Hay rasgos típicos, pintorescos, casi de folklore. Se cuenta la forma en que vive el indígena y se reproduce con fidelidad su lenguaje. En cambio en *El mundo es ancho y ajeno* se aparta de ese molde; no hay en ella afán reivindicador. La estructura del relato no se arma alrededor del rígido eje indio-blanco, en que el indio es siempre inocente, manso y trabajador mientras que el blanco es fatalmente cruel, sin alma, rico, terrateniente, despojador del indio.

No es una novela de tesis; su simpatía por el indio mana espontáneamente. Es importante observar que ésta es una novela de masas, y sin embargo, es una de las pocas donde hay personajes individuales bien logrados. Los críticos se lamentan a menudo de que en América haya novelas de mucha garra, que no alcanzan a ser grandes novelas porque les falta *el personaje*. Se sostiene, en este criterio, que el personaje humano es el centro de toda novela y que cuando se logra crear un personaje con características universales, se tiene ya una gran novela.

Tenemos en nuestro continente novelas cuyo eje principal es el paisaje y una idea, alrededor de los cuales gira una humanidad despersonalizada. Se ha dicho que Rosendo Maqui es el primer personaje importante de la novelística hispanoamericana.

Ciro Alegría está muy familiarizado con el paisaje y con los nativos. Cuando en la introducción nos habla de que su niñez fué acunada por brazos indios, que alternó con los peones indios, comprendemos que una experiencia entrañable está moviendo el relato. Describe al indio con amor y hay un suave humorismo que flota en toda la novela, lo cual no es muy común en los escritores nuestros, y menos aún, en los novelistas de tesis política, como son los indigenistas. Por lo general, esos escritores toman todo a la tremenda; no hay en ellos sentido del humor, o hacen sarcasmo en vez de humorismo.

Se ve que Alegría conoce por dentro los hilos que mueven a una comunidad india. Los comuneros viven de acuerdo a normas viejísimas, de origen incaico, aunque los nombres personales sean castellanos y los títulos sean españoles: alférez, síndicos, alcaldes . . .

Alegría pinta el mecanismo de esa vida, las costumbres comunitarias, las creencias religiosas, las supersticiones. Logra así que cada episodio tenga resonancias colectivas, de modo que el personaje sea el grupo y no el individuo y que, al mismo tiempo, todos esos elementos no se acumulen como datos costumbristas, sino que formen parte del relato con naturalidad.

El tema de la novela es la destrucción de la comunidad de Rumi a través de la complicada trama burocrática de las instituciones modernas en las cuales no tienen cabida los usos ni los derechos tradicionales del indio. Al desperdigarse esa comunidad, algunos de sus miembros van hacia las plantaciones de coca, o a los cauchales; a la costa, o a las minas. Se sumergen poco a poco en la gran realidad nacional, perdiendo todas sus características seculares. Pero Alegría no sigue, como hemos dicho, la fórmula indigenista. Su obra no es un alegato, sino más bien una alegoría. Por lo demás, hay en los indios de Alegría aspectos positivos y negativos, es decir, humanos. Algunos aspiran a una vida mejor, otros están negados para asimilar el progreso, otros evidencian todavía un estado de barbarie. Los indios "progresistas" quieren aprender a servirse de la civilización a pesar de que esa civilización ha sido siempre hostil, desde que empezaron a conocerla. La comunidad quiere tener una escuela, quieren armas y herramientas, quieren que se atienda a la salud de los indios. Pero hay también influjos retrógrados: curanderismo, superstición, apatía. De ahí que la novela tenga hondo carácter humano; circula por ella un aire de verdad. No hay una tesis que estatice el relato o le quite verosimilitud con sus esquemas demasiado rígidos.

Adivinando este riesgo, Ciro Alegría aclara en el prólogo que su novela no es propaganda, alegato, ni relato costumbrista. "Mi posición frente al indio no es la del patrón ni del turista. Los escritores costumbristas —añade— son "una nueva clase de explotadores del indio". "En cuanto a la famosa pelea entre indigenistas e hispanistas, afirmo que no elijo bando porque está planteada en términos anacrónicos".

La opresión del indio por los españoles, en tiempos de la colonia, respondía a motivos muy distintos de los que mueven a los actuales opresores, sean extranjeros o compatriotas suyos.

## EL ESTILO Y LA COMPOSICION

Ciro Alegría ve al indio como un elemento de la naturaleza. Así se ve el indio a sí mismo; todavía no ha llegado —o quizá ya le pasó— el estado en que el hombre se siente superior y busca dominar a la naturaleza, servirse de ella. Por eso el indígena es masa, comunidad, grey, que sufre silenciosa las calamidades colectivas, como en *Los perros hambrientos*. Allí el drama de los perros es tan importante como el de los indios, y a veces lo contrario. La naturaleza los castiga y ellos no saben defenderse, como no se defienden del huracán los árboles ni las rocas.

Tal vez por eso Alegría no pinta caracteres; los hombres son parte de la comunidad y como tales, son hasta trozos del paisaje. En cierto lugar se nos dice que el hombre americano fué plasmado según su geografía. Las metáforas son por lo general de tipo orográfico. Los hombres, con todas sus características individuales están funcionando como partículas de un todo. Rosendo Maqui, contemplando su comunidad desde lo alto de un cerro, parece una roca él mismo. Piensa desde allí que el trigal es hermoso porque una espiga se parece a otra espiga. Esto puede aplicarse también al hombre; por lo mismo, los personajes casi no interesan en el plano individual. Hay una gran cantidad de personajes. Los más destacados son Rosendo Maqui, Alvaro Amenábar, Bismark Ruiz, Benito Castro, Melba Cortés, el Fiero Vázquez —"su cara morena, nariz roma, quijadas fuertes"—, Nasha Suro —"negra de vestiduras y de fama"— y el Mágico.

Se los ve vivir, no se los describe. Hay algunos que ni siquiera están presentados físicamente. Los retratos son breves pinceladas, que, en último caso, suelen ser los mejores retratos literarios. Por ejemplo a Rosendo Maqui sólo se lo describe así: "Su nariz quebrada señalaba una boca de labios plegados con un gesto de serenidad y firmeza. Tras las duras colinas de los pómulos brillaban los ojos, oscuros lagos quietos".

La prosa es simple pero noble y enérgica. No es de ningún modo una prosa débil. El idioma es de ascendencia culta; hay una buena colección de arcaísmos que sin duda se mantienen vivos en el habla popular del Perú: *clamar* (por llamar), *jalar* (halar, tirar de), *candela* (incendio), *jumento, menguado, estar en parlas,* etc.

*El mundo es ancho y ajeno* es quizás la primera novela hispanoamericana con gran despliegue de acción y dramatismo. Las acciones son múltiples, abigarradas, heterogéneas. Hay dramas en la puna, en los ríos, en los cauchales, en la costa, en las ciudades. Podría comparársela a las grandes novelas de aventuras modernas, si no fuera que no tiene un *héroe*; pero recuerda involuntariamente a *El bosque que llora,* de Vicki Baum o a *Lo que el viento se llevó,* de Margaret Mitchell.

Es, por eso mismo, una novela excesivamente voluminosa para ser bella. No es con vara puramente estética cómo hemos de medirla.

Es novela de indios, mestizos y gamonales. Transcurren sus situaciones en todos los lugares donde se ejerce la presión del blanco sobre el indígena. Se denuncia en ella la ineficacia del organismo institucional y el fracaso de las leyes cuando quienes las ponen en práctica son mezquinos, taimados y arteros.

Los indios sufren este conflicto que no entienden porque su mundo es diferente. Al final, muerto ya Rosendo Maqui, un indio joven —Benito Castro— toma las riendas de la comunidad. Castro es el indio evolucionado, que conoce el mundo de los blancos y lo sabe aprovechar. Busca el "progreso" de la comunidad en términos que puedan competir con el blanco. A pesar de la dispersión final del pueblo indígena por el ancho mundo, hay una esperanza de redención, una promesa para el futuro.

Encontramos la explicación del título de la novela en el último capítulo, "¿Adónde, adónde?" cuando Benito Castro dice a su gente: "Los que mandan se justificarán diciendo 'váyanse a otra parte, el mundo es ancho'. Cierto, ancho. Pero yo, comuneros, conozco el mundo ancho donde nosotros, los pobres, solemos vivir. Y yo les digo, con toda verdad que pa nosotros, los pobres, el mundo es ancho, pero ajeno".

A pesar de este discurso, a pesar de su tema, *El mundo es ancho y ajeno* no es una novela de tesis social ni de beligerancia política. Es la mejor novela indigenista que se ha escrito —y tal vez, por eso mismo, sea la última—. Cuando se llega a la fusión de estas dos posibilidades: la simpatía por el dolor del desamparado y una amplia comprensión de las causas histórico-culturales de ese estado de cosas, puede brotar la obra artística, lozana y pujante.

En casi toda la novela, Ciro Alegría usa el "estilo libre", o sea el procedimiento de narrar desde la perspectiva de un personaje y con su propio lenguaje. A raíz de esto, la novela tiene ese tinte de habla rústica que anotábamos más arriba. Hay además un deseo de jerarquizar los giros campesinos, como por ejemplo el verbo *añudar*. En términos generales, la sintaxis es elemental, como de coloquio indígena, con frecuentes coordinaciones copulativas (y) que representan relaciones distintas.

> "...y como era su amigo tuvo que decirle. Entonces ya no vió nada ni oyó nada. El pecho llegaba a dolerle. De regreso al hogar, su madre le preguntaba: ¿qué te pasa, hijo, que te veo tan descompuesto? y él contestaba: "se me hace que bebí mucho", y la madre estaba intranquila. Y entraron a su casa y él volvió a salir diciendo "ya vuelvo".

Esta repetición obstinada de la conjunción *y* es propia del lenguaje infantil o poco evolucionado. Alegría aprovecha este recurso estilísticamente, para desaparecer como escritor y dejar al lector frente a la acción, como si las cosas estuvieran transcurriendo en su propio ambiente, en tiempo presente.

Otro pequeño vocablo que Alegría usa reiteradamente con la misma intención de ponernos frente a frente con la lengua rústica de los indios es *pues*. No sólo aparece en los diálogos ("tal vez, *pues,* tal vez") sino en el texto mismo de la narración.

El sol, la luna, las estrellas se usan a menudo para ubicar la acción en el tiempo, o para darle una hora determinada sin decirlo explícitamente.

El paisaje está siempre presente: hombre y naturaleza son inseparables. Buen ejemplo es la introducción, cuyo único personaje humano es Rosendo Maqui descendiendo del cerro a la oración. Claro que allí hay una visión panorámica por la altura y por la importancia de Rosendo en los acontecimientos venideros. Por lo general el paisaje está constituído por varios elementos yuxtapuestos. No es una contemplación desinteresada, no es el ojo del paisajista quien lo reproduce. Se va advirtiendo tal o cual piedra, tal o cual árbol, de modo que viene a ser una sucesión de cosas. Tiene esto su explicación: para el indio —y para el hombre de campo, en general—, el paisaje no es sólo belleza; es una suma de elementos utilizables o nocivos. El novelista quiere mostrarnos la naturaleza desde los ojos indígenas. Por eso dice, por ejemplo, que se ven las tunas, las hierbas, las muchachas y muchachos de Rumi. Estos últimos también son parte del paisaje.

Claro que también hay trozos en que el novelista nos pinta, por su cuenta, unas cuantas estampas. Allí sí, la contemplación es desinteresada, mejor dicho, emocionada, expresada en palabras, y que, por lo tanto, son poéticas descripciones.

"Oscurece lentamente. El trigal se vuelve una convulsionada laguna de aguas prietas y en la hoyada el caserío ha desaparecido como tragado por un abismo. Pero ya brota una luz, y otra, y otra... Los fogones de llama roja palpitan blanda y cordialmente en la noche. Arriba, el cielo ha terminado por endurecerse como una piedra oscura, en tanto que en las aristas de los cerros muere lentamente el incendio crepuscular".

Alegría echa mano a todo recurso para convertir los elementos en símbolos, no a la manera de Gallegos, donde son muy evidentes, sino más literarios. Algunas veces se hacen transparentes, cuando quiere enfatizar algún aspecto. Entonces se vuelven retórica, y se alcanza a ver el andamiaje del capítulo.

Pero es un novelista hábil porque todo lo resuelve en acción. No hay situaciones estáticas; no hay afán plástico, estatuario, espacial. Hay un sabio sentido de lo dinámico, fluyente, temporal. Cuando los personajes hablan, siempre están haciendo algo, o algún perro se desplaza, o pelean los gallos, o se muere el sol. Y cuando el autor cuenta, siempre se refiere a un mundo en movimiento. Veamos cómo acelera los hechos, para no impacientar al lector:

> "Caminó y caminó. Venía la madrugada y en las copas de los capulines comenzaron a cantar los pájaros. Las calles estaban solas todavía. La casa era grande y de puerta labrada. Bajóse y cayó junto a ella. Salió una sirvienta que abrió la pesada puerta y al verlo dió un grito y se fué".

Hay muchos verbos activos —muy pocos nominales— y aun las cosas inanimadas se llenan de vida mediante estos verbos de acción.

> "A mediodía, el sol *quemaba* sobre las espaldas".
>
> "Al centro *flameaba* la fogata donde la marca *se encendía* al rojo".
>
> "El ganado *pintaba* los rastrojos. Las chacras *espaldeaban* las casas. El sol *duraba* todo el día".

"Las balas, de alegre color, *salían brincando* con una agilidad de saltamontes".

Aun los instantes de reposo se nos presentan como final de un movimiento: "Las ovejas *se habían aquietado* y pacían con su inerme tranquilidad".

## ARTURO USLAR-PIETRI

Arturo Uslar-Pietri, uno de los novelistas hispanoamericanos contemporáneos más vigorosos, nació en Caracas, Venezuela, en 1905. Lo mismo que Ciro Alegría, por su edad pertenece a una promoción ligeramente posterior a la que venimos estudiando, pero al menos una obra suya, muy significativa, apareció en el período anterior a la Segunda Guerra Mundial. Además, hay en su prosa muchos de los rasgos que hemos considerado como herencias modernistas.

Uslar-Pietri desempeñó diversos cargos en su patria alternando su actividad literaria con la cátedra. Su primera serie de cuentos apareció en 1928: *Barrabás y otros relatos.* Poco después, en 1931, publicó *Las lanzas coloradas,* novela que ganó inmediata popularidad en todo el continente y que ha sido traducida a varios idiomas. Posteriormente escribió una nueva serie de relatos breves, *La red,* para volver a la novela en 1947, con *El camino de El Dorado.* Como estudioso de las letras hispanoamericanas —ha sido profesor en Columbia University, de New York— escribió una *Breve historia de la novela hispanoamericana* (1954) y como ensayista ha publicado *Apuntes para retratos, Pizarrón,* y *Letras y hombres de Venezuela.* El último libro es, hasta ahora, *Treinta hombres y sus sombras,* publicado en Buenos Aires (1955).

La novela que le conquistó prestigio es, como se ha dicho, *Las lanzas coloradas.* En ella este escritor de veinticinco años encaró con éxito un género lleno de emboscadas: la novela histórica. Pero Uslar-Pietri bordea todo el tiempo la novela romántica sin caer en los fáciles baches del siglo XIX. Hay, es verdad, un personaje brutal —Presentación Campos— que atropella e incendia la propiedad de sus amos, pero no es un bandolero. Llega a estos abusos por una sobra de coraje, por un exceso de fuerza. Paradójicamente, este esclavo se une a las fuerzas realistas de Boves, mientras los señores (que debían ser conservadores) se lanzan a la revolución.

Fernando Fonta, joven amo de El Altar, se juramenta con los insurgentes sin mayor fe. Sólo tiene un instante de ceguera bélica al enterarse de lo que ha hecho Presentación Campos, pero su pusilanimidad la amaina pronto. No quiere morir en la guerra; le parece absurdo. Se justifica diciéndose que quiere vivir para vengarse de Campos, pero tampoco lo hace y al fin muere estúpidamente.

Inés, su suave y romántica hermana, ambula por los llanos desfigurada por el fuego (Campos la ha violado y luego incendió la casa), enloquecida, en busca del esclavo para matarlo, pero nunca lo encuentra.

Campos, en su primitiva admiración por los hombres valientes, aunque herido y prisionero de las tropas de Bolívar, quiere ver al héroe antes de morir, pero no consigue levantarse hasta la ventana de su celda. Sólo oye los vivas del gentío. En fin, todos los desenlaces románticos que uno espera, se resuelven de alguna otra forma.

Es que el postmodernista Uslar-Pietri conoce a los escritores realistas y el impresionismo.

Impresionistas son las fugaces escenas de combate, los desordenados fulgores de una epopeya vista en chispazos, en multitud de planos. Pero, además, el lenguaje impresionista confiere matices inesperados a estos cuadros bárbaros.

"El mayordomo desfilaba como una proa". (...) "Su mirada podía navegar el verde vivo de los tablones de caña". (...) "Por los pueblos pasaba la caballería floreciendo incendios". (...) "Una media luna frágil maduró en el lomo de un cerro".

Una de las páginas que se cita a menudo y que será modelo antológico de prosa impresionista, por los poderosos trazos de color, por el movimiento, por la eficacia emotiva, es sin duda la descripción del combate de caballería donde la violencia, rapidez y horror de la guerra a lanza llega a su climax. Parece una secuencia cinematográfica; el ojo se sitúa en los ángulos más favorables y agranda los detalles haciéndonos vivir cada escena con los protagonistas.

> "La sangre chorrea de las lanzas, corre por las astas, se coagula en el labrado de las manos, trepa por los brazos tensos, alcanza los cuerpos y baña la mitad del caballo. Caballo alazano con el lado derecho oscuro; caballo zaino con el lado derecho negro; caballo bayo con el lado derecho marrón, caballo blanco con el lado derecho rojo".

Después escribió Uslar-Pietri *El camino de El Dorado,* también sobre tema histórico, un poco más desvaído en el tiempo, pero restaurado magníficamente por la habilidad novelística del escritor.

Es una especie de biografía novelada del conquistador Lope de Aguirre, quien al mando de sus "marañones" quiso levantarse contra el rey. Es una historia real, pero digna de las novelas de caballerías y ha tentado a otros escritores con anterioridad. Nadie la ha tratado con la maestría de Uslar-Pietri.

*El camino de El Dorado* es una verdadera novela por la recia unidad que le confiere la presencia constante de Aguirre y su locura que crece al mismo tiempo que el terror y la muerte van creciendo entre su gente. Cuando al fin se rinde –no sin antes matar a su propia hija para que nadie se aproveche de su orfandad– adquiere una grandeza trágica, inigualada en nuestra literatura.

Aguirre sonríe a los arcabuceros. Al primer disparo, que no lo ha herido mortalmente, dice con sobrehumana tranquilidad:

"¡Ese es malo!" Y cuando el segundo tiro lo derrumba, mientras cae, grita como aplaudiendo a su "marañón" por el firme pulso: "¡Ese sí que es bueno!"

Todos sus crímenes quedan saldados de pronto con esta muerte tan hermosa.

## EDUARDO MALLEA

Hasta ahora poco se ha hablado de Mallea, aun en su propio país. Los críticos que escriben para el público continental, mencionan de pasada a este escritor y citan dos o tres títulos de sus obras. No significa esta omisión un juicio tácito. Mallea es el mayor novelista contemporáneo de América y su nombre debería preceder a cualquier otro cuando se discuta nuestra literatura de hoy. En cambio el silencio de los tratadistas y críticos más bien parece obedecer a una de estas razones: o hay prejuicios contra Mallea, o resulta difícil juzgar a Mallea.

Los prejuicios contra Mallea suelen ser más o menos injustos. Se dice, por ejemplo, que no es un escritor argentino, porque no representa lo más auténtico de su país. Según este criterio, un escritor como él podría pertenecer a cualquier literatura y que por lo tanto no es un típico exponente de las letras hispanoamericanos. También se ha repetido que sus novelas son ensayos disfrazados; que todos sus personajes hablan como él, que hay demasiadas página donde no sucede nada, que trata de imitar a Huxley, que vive preocupado por literaturas y filosofías europeas...

Por último hay quienes escapan, con el silencio, del compromiso de opinar sobre Mallea. Este es mejor criterio, pero aun falta hacer justicia al novelista.

De todos modos, el brillante novelista argentino, por ser la suma y culminación de este período entre las dos guerras mundiales, por ser "el novelista existencial" —como lo define E. Anderson Imbert—, vale decir, por haber tocado en algunos de sus libros los umbrales del tiempo nuevo, va a servirnos para clausurar este trabajo.

Así como González Martínez inauguró la marcha hacia 1910, Eduardo Mallea, alrededor de 1940, estaba diciendo adiós a una época, a una filosofía, a una generación literaria. Por cierto que Mallea continúa escribiendo activamente, pero en cuanto historiadores de aquel momento no nos interesa su obra posterior y, muy a pesar nuestro, también este capítulo sobre Mallea será incompleto aunque no nos consideremos incursos en los pecados antedichos.

Muy al contrario, hemos leído con avidez a Mallea. Nos entusiasmó su *Historia de una pasión argentina,* que descubrimos años después de su publicación. (Ahora el plural que uso es real, pues el encuentro con Mallea fué un descubrimiento colectivo, el feliz hallazgo de toda una promoción universitaria). Cuando el libro cayó en nuestras manos, era el tiempo propicio. Empezaban a urgirnos ciertas sedes y él traía las palabras exactas para nuestro descontento.

Mallea fué el que puso letra a muchas inquietudes argentinas y más de un estudiante se descubrió como habitante de esa Argentina invisible que él adivinaba trabajando subterránea, anónima, pura, bajo la torva corteza de la Argentina "aparencial".

Quien ha sido capaz de suscitar fervores, de despertar vocaciones y de indicar caminos a la juventud de su patria no puede ser un escritor descastado. Pero su caso no es el único en América, por desgracia. Rubén Darío fué tenido por excéntrico, desarraigado, "raro" en su tiempo. Sin embargo hoy nos apresuramos a reclamarlo como la mayor gloria literaria de América española. También Sarmiento fué —y todavía lo es, de tarde en tarde— rechazado por su europeísmo, por su falta de argentinidad.

Mallea nació en Bahía Blanca, provincia de Buenos Aires en 1904. Los primeros años de su vida están estupendamente revividos en su libro *Historia de una pasión argentina.*

Su obra se extiende en unos quince títulos que se inician con *Cuentos para una inglesa desesperada* (1926) e incluyen dos títulos al menos, dignos de figurar al lado de las grandes obras del pensamiento hispanoamericano moderno: la citada *Historia de una pasión argentina* (1937) y *La bahía de silencio* (1940).

Aunque sus temas de mayor insistencia se desarrollan amplia, sinfónicamente en diversas novelas (*La ciudad junto al río inmóvil* (1936) y *Fiesta en Noviembre* (1938), aquellos dos libros forman un eje en la obra de Mallea, y es propio tratarlos por separado. En ellos se puede anotar un paralelismo, sin que esta observación implique la sospecha de imitación, con dos libros de Aldous Huxley: *End and means* (1937) y *Eyeless in Gaza* (1936) (*).

El paralelismo consiste en que, en ambos casos, un medular libro de ensayos ha sido el vehículo para la expresión del pensamiento mejor de un escritor y que, por otra parte, este pensamiento adopta la forma novelística. En *La bahía de silencio* aquellos seres angustiados por el destino de la Argentina, aquellos argentinos subterráneos que Mallea presentía en su libro de ensayos, aparecen vivos, transitando las calles de Buenos Aires, trabando contacto con otros seres que padecen igual desazón. Tratan desesperadamente de irrumpir en la vida chata, sin ideales, invertebrada; tratan de imprimirle un nuevo impulso, de darle dignidad, y finalmente bajan los brazos, desalentados, y entregan su torrente de palabras —lo único que han producido— a la nueva generación, en la esperanza de que ésta lleve un poco más allá los ideales que ellos sembraron.

Ahí están retratados todos los hombres y mujeres de su generación; ahí están los sueños, las esperanzas, las debilidades y virtudes de su tiempo; ahí está la Argentina de ese paréntesis histórico entre las dos guerras mundiales;

---

(*) Traducidos al español y publicados en Buenos Aires con los títulos de *El fin y los medios* y *Con los esclavos en la noria*.

veinte años recargados de acontecimientos y ademanes espirituales fallidos.

No. Mallea no es un escritor extranjerizante; es la expresión más alta de un intelectualismo maduro, de un pensamiento singularmente agudo, de una literatura que ha superado las categorías tradicionales de Hispanoamérica: realismo, costumbrismo, modernismo, y aun las literaturas de vanguardia. En efecto, dijimos que después de la Primera Guerra Mundial, la poesía de América busca senderos apocalípticos; se cultiva profusamente la poesía del subconsciente. Dijimos también que de esas tendencias, queda en pie el superrealismo y que éste desemboca, hacia los años de la Segunda Guerra en existencialismo. Pues bien, Mallea marca la entrada de nuestras letras en esta nueva concepción del mundo. Diez años largos después de su *Bahía de silencio* van a aparecer novelas como *El túnel* de Ernesto Sábato, o *Rosaura a las diez,* de Marco Denevi, donde se encaran estos aspectos de la angustia existencial.

## LA BUSQUEDA DE LA EXPRESION COMO ESTILO

La contribución de Mallea al lenguaje literario es ingente. Ha puesto en vigencia algunos vocablos que se han hecho connaturales en los escritores de hoy y algunos procedimientos en la prosa que todos aprendimos de él.

Sus fuentes —en el sentido mejor— son, en mucho, europeas, pero también acusa su estilo la frecuentación de Lugones y los buenos escritores de nuestra lengua. Su prosa es caudalosa, abundante; el pensamiento se desarrolla en amplia frase llena de prolongaciones radiculares, prendidas a la idea central por complejas subordinaciones.

En las anfractuosidades de su frase es donde podemos hallar la clave para comprender su estilo, la fisonomía más típica, más original, más "de Mallea", aunque su habilidad de novelista, la infalibilidad de su *oficio* literario sean ya crédito bastante para su prestigio.

Alguien ha notado (*) la predilección —o al menos, la frecuencia— de los contrastes conceptuales, los paralelismos verbales, las repeticiones intensificadoras.

El solo hecho de clasificar estos rasgos de acuerdo a una nomenclatura tradicional implica adscribir a Mallea a una especie de gongorismo de nuevo cuño. Se nos muestra un Mallea artificioso, buscador de efectos más o menos sorprendentes, a veces sumido en su misma trampa de sonidos y vocablos.

El retorcimiento de Mallea, sin embargo, es algo vital. Pocas veces se ha dado un escritor tan consciente de las dificultades para comunicar una visión desnuda. Sabe que la lengua es rebelde, por ratos, traidora; que nos hace decir lo que no pensábamos y que el primer deber del escritor es liberarse de la red convencional del idioma. Por eso recurre, lo mismo que Unamuno, al procedimiento de agitar violentamente las aguas de la lengua. Cuando se remueven las arenas, las algas y los guijarros del fondo, el arroyo pierde su transparencia pero va más entero, más él mismo, como diría Mallea. Las llamadas "repeticiones" y los "contrastes" de su estilo no son tales. Son modos de reactivar la lengua, de despertar armónicos dormidos, de evocar en la sensibilidad del lector remotas vibraciones, y no al azar, mas deliberadamente.

"La idea de la idea", "el dolor del dolor" (y otras frases similares que abundan en su prosa) no son palabras repetidas. La primera se ha cargado de un contenido distinto y ya no es la misma. "Pensar en la idea", "tener conciencia de esa idea"; "sufrir de verse sufriendo", serían las traducciones de esas dos frases, sólo que están mejor como él las dijo.

---

(*) Myron Lichtblau: "Rasgos estilísticos en algunas novelas de E. Mallea" (en *Revista Iberoamericana,* Vol. XXIV, 1959).

Cláusulas insistentes en apariencia, o redundantes, como "no en el mundo mundo, el mundo de los otros, el mundo exterior y sensible, sino un raro mundo circuído y abrazado por él", tan características de Mallea, son ejemplo de esta sucesiva aproximación a la verdadera imagen que quiere evocar. Es difícil poner en palabras una idea; siempre hay algo inefable en ella. Además, las palabras son de tal naturaleza que en cuanto se las mienta, ya están torciéndose hacia otros referentes, ya nos están traicionando. Por eso el escritor debe ir descartando las palabras que no dan en el blanco y ensayar otras hasta lograr una plausible cercanía. Pero Mallea no ha querido perder las flechas desviadas, sino que ha construído un estilo con todas ellas, además de la certera, porque para él los tanteos también son parte de la creación literaria. Su deber de escritor es el de comunicar con sinceridad —pero además, bellamente—, todas las fatigas, las luchas, las emociones, los errores y las satisfacciones de estar escribiendo para otro ser humano, que en el fondo, bajo la corteza de su suficiencia, tras las equívocas nieblas del mundo moderno, tiene un alma semejante, con sus mismas dudas y sus mismos temores.

La verdadera odisea de cada visión, no sólo su feliz arribo a Itaca, es lo que se propone transmitir. El proceso espiritual completo, no su resultado.

Notemos, sin embargo, que Mallea no es un escritor caótico, no es un superrealista, a pesar de que a veces los superrealistas —por ejemplo, Neruda—, se proponían lo mismo. No. Mallea es ya un escritor existencialista. En él hay composición detenida y calculada, porque está demasiado interesado en eso que ocurre dentro de él. No es un receptor pasivo de "lo que arriba", sino un actor curioso y despierto que observa su acontecer interior y se obstina en darle una forma.

Para llegar a la forma se cruzan en el camino muchas imágenes que no traducen exactamente lo que quiero decir, pero se le aproximan bastante. No puedo desecharlas; son parte de la realidad a expresar, ayudan a reconocer, por exclusión, mi referente. En todo caso, van encerrándolo, como el pintor que cubre todo el fondo de la tela antes de trabajar en la figura central.

> "Pase lo que pase, está eso ahí; esta mujer, esta cercanía animada, humana, esta respuesta". (*Bahía de silencio*).

El primer ademán es meramente demostrativo: está *eso ahí*; luego *eso* se individualiza: es *una mujer*, pero no me importa en cuanto mujer, sino en cuanto cercanía humana, en última instancia, en cuanto *respuesta* a mis propias interrogaciones. Aquí no hay repetición de vocablos sino una aparente repetición de conceptos; pero es que la visión es demasiado compleja para confiarla a una sola metáfora, ni siquiera a la última, que es la mejor. Es preferible dejar estas señales para que el lector pueda recorrer el mismo camino sin extraviarse.

Esta severa y permanente vigilia de Mallea no puede confundirse con lo que se suele llamar "aciertos", "hallazgos felices", porque serían ocasionales, en especial tratándose de un novelista. El estilo de Mallea, en cambio, está elaborado con la misma devoción del principio al fin, en todas sus páginas, en todos sus libros.

Su fecundidad no lo eximió nunca de esta autoimposición.

En síntesis, Mallea ha hecho de la búsqueda misma de expresión exacta, un estilo literario, uno de los más ricos estilos en nuestra lengua actual. Esta devoción, esta vocación, este oficio, este entusiasmo siempre fresco, está expresado por el mismo Mallea en un lugar de su *Bahía de silencio,* donde dice Martín Tregua:

> "La parte más noble del trabajo literario, lo que sobre todos los otros levanta su particular jerarquía, es el sacrificio —que le es propio— de una enorme cantidad de labor a una ínfima selección cuantitativa. Lo que hace la dura poesía inmanente de una obra de

arte, parece ser la gran porción de materia que desecha, la inmensidad de lo que ha tenido que negar para afirmarse".

## OTROS RASGOS DE ESTILO

En razón de este afán por caracterizar exactamente —con exactitud psicológica y estética, esto es— sus contenidos, el adjetivo y el adverbio juegan un papel preponderante en la prosa de Mallea. Adjetivos, adverbios, palabras modificadoras por excelencia. Ellos matizan a nombres y verbos; ellos hacen casi siempre la metáfora. El escritor que busca comunicar sutiles estados de ánimo, delicadas vibraciones emocionales, complejas relaciones conceptuales, aprende a manejar sus adjetivos y adverbios, a multiplicarlos, a hacer cruzamientos audaces para lograr refinados productos verbales.

En la Argentina fué Lugones el primero y el mayor virtuoso del adjetivo en nuestro siglo, desde su "beso adolescente y torpe" de 1897 hasta el abrumador barroquismo de *La guerra gaucha*. Güiraldes, Borges y Mallea fueron los legítimos herederos de Lugones. Herederos, porque su talla no desmiente la del poeta cordobés; legítimos, porque admiraron, siguieron y negaron al maestro para volver a venerarlo con los años.

Cuando se lee ese "derrame nevado y sus regias gargantas mortales" en Mallea, se cree reconocer las huellas del portentoso Lugones. Pero, como todo artista original, Mallea ha ido más allá que su antecesor. No sólo abundan los adjetivos sorprendentes y exactos sino que añade una variante: antepone con frecuencia uno o más adjetivos al sustantivo.

"la diaria metropolitana rigidez"
"más valía ( . . . ) entregarse a silenciosos, amigables, anónimos coloquios".

Su familiaridad con la lengua inglesa quizá tenga algo que ver con esta anteposición de los adjetivos. Más evidente anglicismo es su reiterado empleo de adverbios modales, en la misma posición y con idéntico efecto estilístico que en inglés.

"extremadamente insólitos"
"deliberadamente casi a oscuras"

Anglicismo o no, estos adverbios y adjetivos anticipándose al vocablo modificado son una real contribución de Mallea. La lengua culta de hoy exige estos tipos (y otros más complejos) de modificaciones. El español actual no es ya aquella lengua arcaizante, morosa y ambigua en que se escribió hasta el siglo pasado, desde la culminación barroca. Con el modernismo –incorporación de Hispanoamérica a la cultura occidental–, y "el 98" –renacimiento intelectual de España–, nuestra lengua ha ganado en precisión, exactitud; se ha hecho más flexible y se ha adaptado mejor a la expresión científica y filosófica.

Mallea es un exponente en América hispánica de ese castellano rejuvenecido, de soberbia claridad intelectual que en España cultivaron Miguel de Unamuno y José Ortega y Gasset.

# VI

# CONCLUSION

Comprender una época es difícil tarea para quien la vive; más difícil aun para quien no la conoció. La época que intento comprender en este trabajo se va haciendo historia rápidamente. A los americanos de habla española se nos han caído ya muchos gajos de este árbol sorprendente: González Martínez, Henríquez Ureña, Gabriela Mistral, Vasconcelos, Alfonso Reyes... Lamentables pérdidas, en pocos años. Muchos de los escritores aquí discutidos siguen trabajando, vigorosos y fecundos. Pero ya no son los mismos; algo ha acontecido en el mundo que ha cambiado, no sólo la geografía y la política y las ideas estéticas, sino a los hombres mismos.

La generación estudiada con el nombre de postmodernista terminó con la Segunda Guerra Mundial, aunque muchos de sus representantes vivan todavía.

Es que estos hombres, nacidos en los últimos años del siglo pasado, vieron transformarse el mundo cuando eran sólo unos niños. Quizás no entendieron entonces lo que pasaba. Cuando pudieron comprender su tiempo —esto es, cuando empezaron a escribir—, estaban llenos de pesimismo, de amargura, de incertidumbre. Ensayaron mil gestos distintos en un afán infructuoso por interpretar el mundo en que vivían, de expresarlo. Pasaron los años y la confusión, lejos de disiparse, aumentaba. La humanidad entera parecía haberse puesto a vociferar: comunismo, fascismo, depresión, sindicalismo...

Los artistas iban creando en medio de la grita; apenas se oían sus voces en el estruendo. Cualquier cosa valía más que el arte, nadie tomaba en serio a la poesía. Los mismos poetas terminaron por reírse de su poesía, aunque su risa tenía algo de trágica.

Los artistas ya maduros superaron la baraúnda y nos dieron un puñado de obras maestras. Alcanzaron su consagración en medio de una general indiferencia.

Los ensayistas —pensadores políticos, sociólogos, críticos—, aprovecharon esta confusa procesión de pueblos e ideas para observar, para estudiar y buscar un sentido al aparente derrumbe. A estos humanistas debemos el haber conocido mejor a la América española. Gracias a ellos el continente latino dejó de ser un conglomerado sin forma. Ellos nos enseñaron que existe algo así como una cultura latinoamericana y que hay un rumbo en nuestros destinos; que no vamos a la deriva. Cuando uno sabe adónde quiere llegar, es más fácil decidir qué camino tomará. Los ensayistas del postmodernismo nos redimen del pesimismo de sus poetas.

Los novelistas van registrando con distintos colores, la realidad de América. Unos declaman teorías sociales, otros se adentran en las almas individuales tratando de develar el misterio de nuestra alma universal.

Pero, cuando el universo empezaba a ganar alguna coherencia, otro desastre sobrevino. Todo lo anterior fué derribado, cubierto con sus propios escombros, incluso el descontento que se prolongaba desde la guerra anterior. Allí quedaron enterrados los anhelos y las esperanzas de los postmodernistas. (Quizás no sea exacta esta interpretación, pero el autor, como hombre de la segunda postguerra, ha experimentado estos sentimientos y proyectándolos hacia el pasado, ha querido reconstruir más o menos orgánicamente la generación literaria que siguió a la Primera Guerra).

Para 1938 los relámpagos de tempestad fosforecían en todos los puntos del horizonte. El mundo surgido de la

Guerra grande estaba en agonía. Alguien se encargó de acelerar su muerte, en 1939.

Para 1940 había llegado la noche. Habían de pasar muchos años para buscar el Norte otra vez. Los hombres estaban cansados. Los jóvenes entraron a la vida con inquietudes, muy similares a las de 1918, pero eran la generación nueva.

Cuando murió Leopoldo Lugones, hubo en la Argentina algo de simbólico. Su muerte parecía la renuncia de la generación anterior. Había trabajado mucho por poner algún orden en su país, por comprender su tiempo, y sin embargo no veía más que tinieblas y más desorden adelante. Entonces se retiró del campo con supremo gesto de disgusto.

Eduardo Mallea, dos años más tarde, en plano de ficción y con deliberada perspectiva, despedía a Lugones —sin nombrarlo— y a su época en los tramos finales de su *Bahía de silencio.* No podría yo dar un mejor remate a mi libro que esa página. Sin quererlo, o quizá queriéndolo, Mallea cerró el capítulo postmodernista e inauguró uno nuevo, uno sin nombre aún, el que ahora estamos viviendo.

Decía Mallea, por boca de su personaje escritor:

"En el anochecer de verano, durante el general florecimiento, un hombre se había matado en la ciudad. Era un espíritu fuerte y noble, y estaba cansado. Durante más de sesenta años de una vida desprovista de fausto, había trabajado su pobreza hasta hacer de ella un instrumento de rigor. Este instrumento duro y riguroso lo aplicó a llenar el país con una ola de grande poesía, algunos de cuyos destellos alegraban muchas noches del enorme campo argentino, y que él creaba en el aislamiento y la moderación. Durante años, durante muchos años su mano derecha le sirvió para decir a su tierra el canto de una rara grandeza, que no era la grandeza que aparecía en los labios generales, sino otra, que tenía que ver mucho más con su eternidad que con su próspera y despreocupada contingencia.

"Durante años ese hombre se había dado a sí mismo terribles vigilias, difíciles aprendizajes, violentas privaciones, a fin de armar en sí mismo esa despojada dignidad sin la que ninguna voz tiene derecho a levantarse sobre las otras acalladas. Su palabra fué una voz, y esa voz alcanzó una gran belleza. Había educado su memoria, como el árbol su corteza, hasta hacerla espaciosa y resistente. Había extendido su conocimiento en las materias más auténticamente ilustres hasta hacer de su mentalidad la mentalidad más férrea, amplia y poderosa de su país. Y después había cubierto esto de discreción, a fin de que su pujanza no tuviera flecos de debilidad, de subalternidad.

"Llegó un momento en que este hombre sintió la quiebra de su sueño con un mundo circundante horriblemente inmaturo, donde la terminología pragmática llegaba a términos soeces, a fuerza de un grosero disfraz por el cual lo más burdamente mercantil –siendo también mercantil la negociación de prestigios– asumía los derechos de la respetabilidad. Entonces, cuando sintió la quiebra de su sueño, comenzó a mirar a la gente de alrededor sin tener su espíritu enajenado en los cotidianos trueques, y pensó que nada tenía que hacer con este idioma –él que había creado y robustecido otro, para después– y que verdaderamente, su hora era llegada de alejarse.

"Eligió aquella tarde caliginosa, en los comienzos del verano, y por su propia mano entró en la muerte al anochecer. Como la resonancia que la noticia de un entrañable alejamiento deja en el alma de quien lo padece, cundió la noticia de su acto por todos los sitios de la ciudad. Pero lo que significaba la interrupción de ese canto, lo que significaba la renuncia de tal mente a proseguir aplicada a la inteligencia del destino espiritual de la nación, lo que significaba lo ya hecho por su esfuerzo titánico, eso sólo en una napa profunda de la nación se entendió".

# BIBLIOGRAFIA GENERAL

ANDERSON IMBERT, E.: *Historia de la literatura hispanoamericana.* México (Fondo de Cultura Económica), 1954.

DE ONIS, FEDERICO: *Antología de la poesía española e hispanoamericana* (1882-1932). Madrid (Centro de Estudios Históricos), 1934. Segunda edición, New York (Las Américas Publishing Company), 1961.

GHIANO, JUAN CARLOS: *Poesía argentina del siglo XX.* México (Fondo de Cultura Económica), 1957.

GIMENEZ PASTOR, ARTURO: *Historia de la literatura argentina.* Buenos Aires (Labor), 1945.

GIUSTI, ROBERTO: *Momentos y aspectos de la cultura argentina.* Buenos Aires (Raigal), 1954.

HAMILTON, CARLOS D.: *Historia de la literatura hispanoamericana.* (2 vol.) New York (Las Américas Publishing Co.), 1960-1961.

HENRIQUEZ UREÑA, PEDRO: *Ensayos en busca de nuestra expresión.* Buenos Aires (Raigal), 1952.

HENRIQUEZ UREÑA, PEDRO: *Las corrientes literarias en la América Hispánica.* México (Fondo de Cultura Económica), 2a. edición, 1954.

HENRIQUEZ UREÑA, PEDRO: *Plenitud de América.* Buenos Aires (Peña del Giudice), 1952.

MARTINEZ, JOSE LUIS: *Literatura mexicana. Siglo XX.* México (Antigua Librería Robredo), 1949.

MEAD, ROBERT J.: *Breve historia del ensayo hispanoamericano.* México (Studium), 1956.

PINTO, JUAN: *Breviario de literatura argentina contemporánea.* Buenos Aires (La Mandrágora), 1958.

RATCLIFF, DILLWYN: *Venezuelan Prose Fiction.* New York (Instituto de las Españas), 1933.

REYES, ALFONSO: *Pasado inmediato y otros ensayos.* México (El Colegio de México), 1941.

SANCHEZ, LUIS ALBERTO: *¿Tuvimos maestros en nuestra América?* Buenos Aires (Raigal), 1956.

SANCHEZ, LUIS ALBERTO: *Escritores representativos de América.* Madrid (Gredos), 1957.

TORRES-RIOSECO, ARTURO: *Ensayos sobre literatura hispanoamericana.* Berkeley, 1953.

TORRES-RIOSECO, ARTURO: *Grandes novelistas de la América hispana.* Berkeley, 1943.

USLAR-PIETRI, ARTURO: *Breve historia de la novela hispanoamericana.* Caracas-Madrid (EDIME), 1954.

VITIER, MEDARDO: *Del ensayo americano.* México (Fondo de Cultura Económica), 1945.

ZUM FELDE, ALBERTO: *Indice crítico de literatura hispanoamericana.* México (Guarania), 1954.

ZUM FELDE, ALBERTO: *Proceso intelectual del Uruguay.* Montevideo, 1930.

ZUM FELDE, ALBERTO: *La literatura del Uruguay.* Buenos Aires, 1939.

# BIBLIOGRAFIA ESPECIAL

ALEGRIA, FERNANDO: *A Study on Pablo Neruda* (En: The Elementary Odes of Pablo Neruda translated by Carlos Lozano, New York, Las Américas Publishing Company, 1961).

ALONSO, AMADO: *Poesía y estilo de Pablo Neruda.* Buenos Aires (Losada), 1940.

ANDERSON IMBERT, E.: *Estudios sobre escritores de América.* Buenos Aires (Raigal), 1954.

DE TORRE, GUILLERMO: *¿Qué es el superrealismo?* Buenos Aires (Columba), 1955.

HATZFELD, HELLMUTH: *Superrealismo.* Buenos Aires (Argos), 1951.

LEO, ULRICH: *Rómulo Gallegos, un estudio sobre el arte de novelar.* México (Humanismo), 1954.

LICHTBLAU, MYRON: *Rasgos estilísticos en algunas novelas de Eduardo Mallea.* (En "Revista Iberoamericana", Vol. XXIV, No. 47; Ene.-Jun. 1959).

M. B. DE BENVENUTO, OFELIA: *Delmira Agustini.* Montevideo, 1944.

MARTINEZ, JOSE LUIS: *La obra de Alfonso Reyes.* (En "Universidad", 14-15, Monterrey, abril de 1957).

MODER, STELLA: *Gabriela Mistral, espíritu de América.* (En "Primeras Jornadas de Lengua y Literatura Hispanoamericana"), Salamanca, 1956.

MONGUIO, LUIS: *La poesía postmodernista peruana.* México-Berkeley (Fondo de Cultura Económica), 1954.

OLGUIN, MANUEL: *Alfonso Reyes, ensayista.* México (Studium), 1956.

RODRIGUEZ ALCALA, HUGO: *Korn, Romero, Güiraldes, Unamuno, Ortega...* México (Studium), 1958.

ROSENBAUM, SIDONIA CARMEN: *Modern Women Poets of Spanish America.* New York (Hispanic Institute), 1945.

# INDICE DE MATERIAS

# INDICE DE NOMBRES